CW00572599

El capital

(Selección de textos)

Karl Marx

El capital

(Selección de textos)

Ediciones Libertador

Edición especial para Ediciones Libertador

info@edicionesandromeda.com
I.S.B.N. 987-918-680-X
Traducción: Ernesto S. Mazar

Se ha hecho el depósito de ley 11.723
Impreso en Argentina - Printed in Argentina

Índice

I. MERCANCÍA Y MONADA

Capítulo I

La mercancía 17

I. Valor de uso y valor de cambio 17

II. Doble aspecto del trabajo 21

III. El valor, realidad social, solo aparece en el cambio 23

IV. Apariencia material del carácter social del trabajo 27

II. TRANSFORMACIÓN DEL DINERO EN CAPITAL

Capítulo IV

Fórmula general del capital 31

Circulación simple de las mercancías y circulación del dinero como capital 31

Compra y venta de la fuerza de trabajo 34

III. PRODUCCIÓN DE LA PLUSVALÍA ABSOLUTA

Capítulo V

Producción de valores de uso y producción de la plusvalía 41

I. El trabajo en general y sus elementos 41

II. Análisis del valor del producto 45

Capítulo VI

Capital constante y capital variable 50

Propiedad del trabajo de conservar valor creando valor 50

Capítulo XII
División del trabajo y manufactura 55
I. Doble origen de la manufactura 55
II. El trabajador fraccionario y su utensilio 57
III. Las dos formas fundamentales de la manufactura 58
IV. División del trabajo en la manufactura y en la sociedad 63
V. Carácter capitalista de la manufactura 65
Capítulo XIII
Maquinismo y gran industria 67
I. Desarrollo del maquinismo 67
II. Valor transmitido por la máquina al producto 73
III. Trabajo de las mujeres y de los niños 75
IV. La fábrica 79
V. Lucha entre el trabajador y la máquina 82
VI. La teoría de la compensación 84
VII. Los obreros alternativamente rechazados de la fábrica y atraídos por ella 86
VIII. Supresión de la cooperación fundada en el oficio y en la división del trabajo 87
IX. Contradicción entre la naturaleza de la gran industria y su forma capitalista 89
X. Gran industria y agricultura 94

VI. EL SALARIO
Capítulo XVII
Transformación del valor o del precio de la fuerza de trabajo en salario 99
Capítulo XVIII
El salario a jornal 102
Capítulo XIX
El salario a destajo 105

VII. ACUMULACIÓN DEL CAPITAL

Introducción 113
Capítulo XXI
Reproducción simple 114
Capítulo XXII
Transformación de la plusvalía en capital 120
I. Reproducción en mayor escala 120
II. Ideas falsas acerca de la acumulación 125
III. División de la plusvalía en capital y en renta 126
IV. Circunstancias que influyen en la extensión de la acumulación 129
V. El fondo del trabajo 133
Capítulo XXIII
Ley general de la acumulación capitalista 135
I. La composición del capital 135
II. La parte variable del capital disminuye relativamente a su parte constante 140
III. Demanda de trabajo relativa y demanda de trabajo efectiva 145
IV. Formas diversas del exceso relativo de población 155

La siguiente es una selección de los capítulos más importantes del primer tomo de *El capital. Crítica de la economía política* (1867-1883), la obra cumbre de Carlos Marx. En ella se despliega en forma sistemática su teoría sobre el materialismo histórico.

La obra consta de tres tomos, pero sólo el primero fue editado en vida de Marx, en el año 1867. Después su muerte, ocurrida en 1883, Federico Engels, su amigo y albacea se encargó de preparar y editar los tomos restantes.

Texto imprescindible y, muchas veces, inaccesible a la lectura del público general, esta obra resume todo el sistema teórico del gran pensador alemán.

I
Mercancía y monada

Capítulo I
La mercancía

La mercancía, es decir el objeto que en vez de ser consumido por quien lo produce está destinado al cambio y a la venta, es la forma elemental de la riqueza en las sociedades donde impera el régimen de producción capitalista. El punto de partida de nuestro estudio debe ser, por consiguiente, el análisis de la mercancía.

I. Valor de uso y valor de cambio

Consideremos dos objetos, por ejemplo, una mesa y una cierta cantidad de trigo. En virtud de sus particulares cualidades, cada uno de estos objetos sirve para satisfacer necesidades distintas. Ambos son, pues, útiles al hombre que de ellos hace uso. Para que un objeto se convierta en mercancía debe ser, ante todo, una cosa útil, una cosa que ayude a satisfacer necesidades humanas de esta o de la otra especie. La utilidad de una cosa (utilidad que depende de sus cualidades naturales y aparece en su uso o consumo) hace de ella un valor de uso.

Destinado un objeto por el que lo confecciona a satisfacer las necesidades o las conveniencias de otros individuos, es entregado por el productor a aquella persona a quien es útil y que quiere usarlo en cambio de otro objeto, y por este acto se convierte en mercancía. La proporción variable en que unas mercancías de especie diferente se cambian entre sí constituye su valor de cambio.

Valor: su sustancia

Consideremos la relación de cambio de dos mercancías: 75 kilogramos de trigo, por ejemplo, son; iguales a 100 kilogramos de hierro. ¿Qué quiere decir esto? Que en esos dos objetos diferentes, trigo y hierro, hay algo común.

Este algo no puede ser una propiedad natural de las mercancías, pues no se tienen en cuenta sus cualidades naturales sino en cuanto estas cualidades dan una utilidad que las constituye en valores de uso. En su cambio (y esto es lo que caracteriza la relación de cambio) no se atiende a su utilidad respectiva, y solo se considera si se encuentra respectivamente en cantidad suficiente. Como valores de uso, las mercancías son, ante todo, de cualidad distinta; como valores de cambio, sólo pueden ser diferentes en cantidad.

Prescindiendo de las propiedades naturales, del valor de uso de las mercancías, solo queda a estas una cualidad: la de ser productos del trabajo.

En este concepto, puesto que en una mesa, una casa, un saco de trigo, etc., debemos hacer caso omiso de la utilidad respectiva de estos objetos y de su forma útil particular, no tenemos para qué preocuparnos del trabajo productivo especial del ebanista, del albañil, del labrador, etc., que les han dado aquella forma particular. Al despertar así en estos trabajos su fisonomía propia, solo nos resta su carácter común, y desde este momento todos ellos quedan reducidos a un gasto de fuerza humana de trabajo, es decir, a un desgaste del organismo del hombre, sin consideración a la forma particular en que se ha gastado esta fuerza.

Siendo resultantes de un gasto de fuerza humana en general y muestras del mismo trabajo indistinto, las mercancías manifiestan únicamente que en su producción se ha gastado una fuerza de trabajo o, de otro modo, que en ellas se ha acumulado trabajo.

Las mercancías son valores en tanto que son materialización de este trabajo, sin examinar su forma. Lo que de común se observa en la relación de cambio o en el valor de cambio de las mercancías es su valor.

Magnitud del valor, tiempo de trabajo socialmente necesario

La sustancia del valor es el trabajo; la medida de la cantidad de valor es la cantidad de trabajo, que a su vez se mide por la duración y el tiempo de trabajo.

El tiempo de trabajo que determina el valor de un producto es el tiempo socialmente necesario para su producción, es decir, el tiempo necesario, no en un caso particular, sino por término medio; esto es, el tiempo que requiere todo trabajo ejecutado con el grado medio de habilidad y de intensidad y en las condiciones ordinarias con relación al medio social convenido.

La magnitud del valor de una mercancía no sufriría alteración si el tiempo necesario para su producción continuara siendo el mismo; pero este varía cada vez que se modifica la productividad del trabajo, es decir, con cada modificación que se introduce en la actividad de los procedimientos o de las condiciones exteriores, mediante las cuales se manifiesta la fuerza del trabajo. La productividad del trabajo depende, pues, entre otras cosas, de la habilidad media de los trabajadores, de la extensión y eficacia de los medios de producir y de circunstancias puramente naturales: la misma cantidad de trabajo está representada, por ejemplo, por ocho fanegas de trigo, si la estación ha sido favorable, y por cuatro en el caso contrario.

Por regla general, si la productividad del trabajo aumenta y disminuye así el tiempo necesario para la producción de un artículo, el valor de este disminuye, y a la inversa, si la productividad disminuye, el valor aumenta. Pero cualesquiera que sean las variaciones de su productividad, el mismo trabajo, funcionando durante igual tiempo, crea siempre el mismo valor, solo que suministra en un tiempo determinado una cantidad mayor o menor de valores de uso u objetos útiles, según aumente o disminuya su productividad.

Aun cuando, merced a un aumento de productividad, se produzcan en el mismo tiempo dos vestidos en vez de uno, cada vestido continuará teniendo la misma utilidad que tenía antes de duplicarse la producción. Pero con los dos vestidos se pueden vestir dos hombres en lugar de uno, y por lo tanto, hay aumento de riqueza material. No obstante, el valor del conjunto de objetos útiles sigue siendo el mismo. Dos vestidos hechos en un tiempo igual al empleado anteriormente en hacer uno no valen más de lo que antes valía un solo vestido.

Una modificación en la productividad, que haga más fecundo el trabajo, aumenta la cantidad de artículos que este trabajo proporciona, y por consiguiente, la riqueza material; pero no modifica el valor de esta cantidad así materialmente alimentada si continúa siendo igual el tiempo total del trabajo empleado en su fabricación.

Sabemos ya que la sustancia del valor es el trabajo. Sabemos también que su medida es la duración del trabajo.

Una cosa puede ser valor de uso sin ser un valor. Basta para esto que sea útil al hombre, sin que provenga de su trabajo. Así sucede con el aire, las praderas naturales, la tierra virgen, etc. Un valor de uso sólo tiene valor cuando hay acumulada en él cierta suma de trabajo humano. Por ejemplo, el agua que corre por un río, aunque útil para muchas necesidades del hombre, no tiene, sin embargo, valor alguno, pero si por medio de cántaros o tubos se transporta el agua a un quinto piso, adquiere inmediatamente valor, porque para hacerla llegar hasta aquel punto se ha gastado cierta cantidad de fuerza humana.

Una cosa puede ser útil y producto del trabajo sin ser mercancía. Todo aquel que con su producto satisface sus propias necesidades sólo crea un valor de uso por su cuenta personal. Para producir mercancías hay que producir valores de uso, con el fin de entregarlos al consumo general por medio del cambio.

Por último, ningún objeto puede ser valor si no es útil. Si un objeto es inútil, como se ha gastado inútilmente el trabajo que contiene, no crea valor.

II. Doble aspecto del trabajo

Los trabajos del ebanista, del albañil, del labrador, etc., crean valor por su condición común de trabajo humano, pero no forman una mesa, una casa, cierta cantidad de trigo, etc., es decir, diferentes valores de uso, sino porque poseen cualidades diferentes.

Toda clase de trabajo supone, por una parte, gasto físico de fuerza humana, y es desde esta perspectiva de igual naturaleza y forma el valor de las mercancías. Por otra parte, todo trabajo implica un gasto de la fuerza humana bajo una u otra forma productiva determinada por un fin particular y, en este concepto de trabajo útil diferente, produce valores de uso o cosas útiles.

Doble carácter social del trabajo privado

Al conjunto de objetos útiles de toda especie exigidos por la variedad de las necesidades humanas corresponde un conjunto de obras o trabajos igualmente variados. Para satisfacer las diversas necesidades del hombre, el trabajo se presenta, pues, bajo formas útiles distintas, de lo cual resulta una multitud de industrias innumerables.

Aunque ejecutadas independientemente unas de otras, según la voluntad y designio particular de sus productores, sin relación aparente, las diversas especialidades de trabajos útiles se manifiestan como partes, que se completan entre sí, del trabajo general destinado a satisfacer la suma de necesidades sociales. Los oficios individuales, cada uno de los cuales corresponde cuando más a un orden de necesidades, y cuya variedad indispensable no resulta de ningún convenio previo, forman en su totalidad los eslabones del sistema social de la división del trabajo, que se adaptan a la diversidad infinita de las necesidades.

De esta manera, al trabajar unos para otros, las obras privadas de los hombres revisten, por esa sola razón, un carácter social; pero estas obras tienen también un carácter social por su semejanza como trabajo humano en general. Esta semejanza no aparece más que en el cambio, es decir, en una relación social que las coloca frente a frente bajo una base de equivalencia, no obstante su diferencia natural.

Reducción de toda clase de trabajo a cierta cantidad de trabajo simple

Las diversas transformaciones de la materia natural y su adaptación a las distintas necesidades humanas, que constituyen toda la tarea del hombre, son más o menos penosas de efectuar, y por consiguiente, los diferentes géneros de trabajo de donde resultan son más o menos complicados.

Pero cuando hablamos del trabajo humano desde el punto de vista del valor, consideramos tan solo el trabajo simple, es decir, el gasto de la simple fuerza, que todo hombre, sin educación especial, posee en su organismo. Es cierto que el trabajo simple varía según los países y las épocas, pero siempre se halla determinado en una sociedad dada, es decir, en cada sociedad. El trabajo superior no es otra cosa que trabajo simple multiplicado, y puede ser siempre reducido a una cantidad mayor de trabajo simple: un día o jornada de trabajo superior o complicado puede equivaler, por ejemplo, a dos días o jornadas de trabajo simple.

La experiencia enseña que esta reducción de todo trabajo a determinada cantidad de una sola especie de trabajo se hace diariamente en todas partes. Las mercancías más diversas hallan su expresión uniforme en moneda, es decir, en una masa determinada de oro o de plata. Y por este solo hecho, los diferentes géneros de trabajo, cuyo producto son las mercancías, por complicados que sean, se van a reducir, en una proporción dada, al producto de un trabajo único, el que suministra el oro o la plata. Cada género de trabajo representa solamente una cantidad de este último.

III. El valor, realidad social, solo aparece en el cambio

Las mercancías son tales mercancías por ser a la vez objetos de utilidad y portar valor. Por consiguiente, solo pueden entrar en la circulación si se presentan bajo una doble forma: su forma natural y su forma de valor.

Si se considera aisladamente una mercancía como objeto de valor, no puede ser apreciada. En vano diremos, en efecto, que la mercancía es trabajo humano materializado. Así, la reduciremos a la abstracción valor sin que la más leve partícula de materia constituya este valor, y en uno y otro caso sólo tendrá una forma palpable su forma natural de objeto útil.

Si recordamos que la realidad de las mercancías, en concepto de valores, consiste en que son la expresión varia de la misma unidad social del trabajo humano, se hace evidente que esta realidad, puramente social, solo puede manifestarse en las transacciones sociales. El carácter de valor se manifiesta en las relaciones de las mercancías unas con otras, y solo en estas relaciones. Los productos del trabajo revelan en el cambio como valores una existencia social bajo idéntica forma distinta de su existencia material, y bajo formas diversas como objeto de utilidad. Una mercancía expresa su valor por el hecho de poder cambiarse por otra; en una palabra, por el hecho de presentarse como valor de cambio, y solo de este modo.

Si el valor se manifiesta en la relación de cambio, este no engendra el valor, antes al contrario, el valor de la mercancía es el que rige sus relaciones de cambio y determina sus relaciones con las demás. Esto se comprenderá con una comparación.

Un pilón de azúcar es pesado, pero no lo indica su sola apariencia, y menos aún cuál sea su peso. Consideremos diferentes pedazos de hierro de peso conocido. La forma material del hierro, como la del azúcar, no es, por sí misma, una indicación de su peso; dos pedazos de hierro, puestos en relación con el pilón de azúcar, nos darán a conocer el peso de esta. Así, pues, la magnitud de su peso, que no aparecía considerado el pilón de azúcar aisladamente, se manifiesta cuando se pone en relación con el hierro; pero la relación de peso entre el hierro y el azúcar no es la causa de la existencia del peso del azúcar, antes al contrario, este peso determina la relación.

La relación del hierro con el azúcar es posible porque estos dos objetos tan diferentes por su uso tienen una propiedad común, el peso. En esta relación, el hierro solo se considera como un cuerpo que representa peso: no se tienen en cuenta sus demás propiedades y sirve únicamente como medida de peso. De igual modo, al expresar un valor cualquiera, por ejemplo, 20 metros de tela valen un vestido, la segunda mercancía no representa más que valor; la utilidad particular del vestido no se tiene en cuenta en este caso, y solo sirve como medida de valor de la tela. Empero, aquí concluye la semejanza. En la expresión de peso del pilón de azúcar, el hierro representa una cualidad común a ambos cuerpos, pero es una cualidad natural, (el peso) en la expresión de valor de la tela con el vestido, este representa seguramente una cualidad común a ambos objetos, pero ya no es una cualidad natural, sino una cualidad de origen exclusivamente social: cuál es su valor.

La mercancía, que tiene un doble aspecto, objeto de utilidad y valor, no aparece, pues, tal como es sino cuando se deja de considerarla aisladamente, cuando por su relación con otra mercancía, por la posibilidad de ser cambiada, adquiere su valor como forma apreciable, la forma de valor de cambio, distinta de su forma natural.

Forma del valor

Las mercancías solo se materializan como valores en cuanto son expresión de la misma unidad: trabajo humano. Una mercancía puede, por consecuencia, cambiarse por otra mercancía. En realidad, hay imposibilidad de cambio inmediato entre las mercancías. Una sola mercancía reviste la forma susceptible de cambio inmediato con todas las demás: la moneda.

Esta forma moneda tiene su fundamento en la simple forma de la relación de cambio, que es: 20 metros de tela valen un vestido, o 75 kilogramos de trigo valen 100 kilogramos de hierro, etc.

Primeramente, cualquier mercancía se cambia con arreglo a esta fórmula por otra mercancía diferente, de cualquier clase que sea. Esto es lo que ocurre en los cambios aislados: una sola mercancía expresa accidentalmente su valor en relación con otra mercancía también sola.

En segundo lugar, una misma mercancía se cambia, no ya al azar con otra, sino regularmente con otras varias: 20 metros de tela, por ejemplo, valen alternativamente un vestido, 75 kilogramos de trigo, 100 kilogramos de hierro, etc.; en cuyo caso una mercancía expresa su valor en una serie de mercancías, mientras que en el caso anterior lo expresaba en una sola.

Hasta ahora no hay más que una mercancía que exprese su valor, primero en otra mercancía y después en varias. Cada mercancía tiene que buscar su forma o sus formas de valor, no existiendo una forma de valor común a todas las mercancías.

En la fórmula que precede, vemos que 20 metros de tela valen un vestido, o 75 kilogramos de trigo, o 100 kilogramos de hierro..., etc. Sin cambiar la mercancía cuyo valor se quiere expresar, y que es la tela, varían las que expresan su valor, siendo ora un vestido, ora el trigo, o bien el hierro, etc.

La misma mercancía, la tela, puede tener tantas representaciones de su valor cuantas son las mercancías diferentes. Y si, por el contrario, quisiéramos que una sola representación reflejase el valor de todas las mercancías, podríamos invertir nuestro ejemplo de este modo: un vestido vale 20 metros de tela, 75 kilogramos de trigo valen 20 metros de tela, 100 kilogramos de hierro valen 20 metros de tela, etc., etc. Esta fórmula, que es la precedente invertida, la cual era a su vez el desarrollo de la forma simple, de la relación de cambio, nos da, por último, una expresión uniforme de valor para el conjunto de las mercancías. Todas tienen ya una medida común de valor, la tela, que siendo susceptible de cambio inmediato con ellas, es para todas la forma de existencia de su valor.

Desde el punto de vista del valor, las mercancías son cosas puramente sociales y su forma valor debe, por lo tanto, revestir una forma de validez social. Y la forma valor no ha adquirido consistencia sino desde el momento en que se ha unido a un género especial de mercancías, a un objeto único universalmente aceptado. Este objeto único, forma oficial de los valores, podía ser, en principio, una mercancía cualquiera; pero la mercancía especial, con cuya forma natural se ha confundido poco a poco el valor, es el oro. Sustituyamos, en nuestra última fórmula, la tela por el oro, y obtendremos la forma moneda del valor; todas las mercancías son reducidas a cierta cantidad de oro.

Antes de conquistar históricamente este monopolio especial de forma de valor, el oro era una mercancía como cualquiera otra, y solo porque representaba de antemano el papel de mercancía al lado de las demás, funciona hoy como moneda frente a las otras mercancías. Como toda mercancía, el oro se presentó primero accidentalmente en cambios aislados. Poco a poco funcionó, en una esfera más o menos limitada, como medida general del valor. En la actualidad, los cambios de productos se verifican exclusivamente por su mediación.

La forma moneda del valor aparece hoy como su forma natural. Al decir que el trigo, un vestido, un par de botas, se refieren a la tela como a la medida del valor, como a la encarnación general del trabajo humano, salta inmediatamente a la vista lo extraño de tal proposición; pero cuando los productos de estas mercancías, en vez de referirlas a la tela, las refieren al oro o a la plata, lo cual, en el fondo, es lo mismo, la proposición deja de sorprender. No parece que una mercancía se haya convertido en moneda porque las demás mercancías expresan en ella su valor. Por el contrario, parece que las mercancías expresan en ella su valor porque es moneda.

IV. Apariencia material del carácter social del trabajo

Esta forma moneda o dinero contribuye, pues, a dar una idea falsa de las relaciones de los productores, que ponen los productos en presencia unos de otros para cambiarlos comparando sus valores, es decir, comparando el trabajo de diferente género que cada cual contiene en concepto de trabajo humano semejante, y prestan así a este trabajo y a sus productos un aspecto social distinto de su aspecto natural.

Y los productos del trabajo, que en sí mismos son cosas sencillas y fáciles de comprender, se convierten en complicados, llenos de sutilezas y enigmáticos en cuanto se los considera como objetos de valor prescindiendo de su naturaleza física; en otras palabras, desde que se convierten en mercancías.

El valor de cambio, que verdaderamente no es otra cosa que la manera social de contar el trabajo invertido en la fabricación de un objeto, y que, por consecuencia, sólo tiene una realidad social, ha llegado a ser tan familiar para todo el mundo, que parece ser, como la forma moneda para el oro y la plata, una propiedad íntima de los objetos.

Habiendo aparecido en el período histórico en que domina el sistema mercantil de producción, este carácter de valor ha tomado el aspecto de un elemento material de las cosas, inseparable de ellas y eterno, mientras que existan sistemas de producción en que la forma social de los productos del trabajo se confunde con su forma natural, en lugar de ser distinta de ella, en que los productos se presentan como objetos de utilidad bajo diversos conceptos, y no como mercancías que se cambian recíprocamente.

Esta apariencia material que se da un fenómeno puramente social, esta ilusión de que las cosas tienen una propiedad natural mediante la cual se cambian en proporciones determinadas, convierte, a los ojos de los productores, su propio movimiento social, sus relaciones personales para el cambio de sus productos, en movimiento de las cosas mismas, movimiento que los arrastra, sin que puedan dirigirlo, ni mucho menos. La producción y sus relaciones, creación humana, rigen al hombre, en lugar de estar subordinadas a él.

Un hecho análogo se observa en la región nebulosa del mundo religioso. En esta región los productos del cerebro humano se convierten en dioses, toman el aspecto de seres independientes, dotados de cuerpos propios, que se comunican entre sí y con los hombres. Lo mismo ocurre con los productos manuales en el mundo mercantil.

II
TRANSFORMACIÓN DEL DINERO EN CAPITAL

Capítulo IV
Fórmula general del capital

Circulación simple de las mercancías y circulación del dinero como capital

La circulación de las mercancías es el punto de partida del capital; este solo aparece cuando la producción mercantil y el comercio alcanzaron cierto grado de desarrollo. La historia moderna del capital data de la emergencia del comercio y del mercado mundiales en el siglo XVI.

Hemos visto que la forma inmediata de la circulación de las mercancías es de 20 metros de tela-dos escudos-un vestido o mercancía -dinero- mercancía: transformación de la mercancía en dinero y nueva transformación del dinero en mercancía, o sea, vender para comprar.

Pero al lado de esta forma encontramos otra enteramente distinta, que consiste en la transformación del dinero en mercancía y en la nueva transformación de la mercancía en dinero (dinero-mercancía-dinero), o sea, comprar para vender. Todo dinero que realiza este movimiento se convierte en capital.

Conviene observar que este movimiento, comprar para vender, no se diferencia de la forma ordinaria de la circulación de las mercancías sino para aquel que imprime este movimiento al dinero, para el capitalista. En realidad, se compone de dos actos de la circulación ordinaria, compra y venta, separados de los que regularmente los preceden y los siguen, y se considera que constituyen una operación completa. El primer acto, la compra, es una venta para aquel a quien el capitalista compra; el segundo, la venta, es una compra para aquel a quien el capitalista vende; solo existe aquí el encadenamiento ordinario de los actos comunes de la circulación. Comprar para vender, como operación completa, distinta de la circulación ordinaria, sólo existe bajo el punto de vista del capitalista.

En cada uno de estos dos movimientos, mercancía-dinero-mercancía y dinero- mercancía-dinero, se presentan, uno frente a otro, dos elementos materiales idénticos: mercancía y dinero. Pero en tanto que el primer movimiento, la circulación simple de las mercancías, principia por la venta y acaba por la compra, el segundo, o sea la circulación del dinero como capital, empieza por la compra y termina por la venta.

En la primera forma, el dinero se convierte, al fin, en mercancías destinadas a servir de valor de uso, de cosa útil. Arrastrado por el hecho de la compra, el dinero se aleja de su punto de partida y es gastado definitivamente. En la segunda, el comprador pone su dinero en circulación para recobrarlo en último término como vendedor. Este dinero que vuelve a su punto de partida fue sencillamente anticipado cuando al principio se lo puso en circulación.

La plusvalía

La satisfacción de una necesidad, un valor de uso, tal es el objeto determinante del primer movimiento, que termina en un cambio de productos de igual cantidad como valores, si bien son de cualidad diferente como valores de uso; por ejemplo, tela y vestido. Puede suceder que la tela sea vendida en más de su valor o el vestido comprado en menos, y, en tal caso, salir perjudicado uno de los cambistas; pero esta desigualdad posible de los valores cambiados, es solo un accidente; el carácter regular de esta forma de circulación es la igualdad de valor de ambos extremos, es decir, de las dos mercancías.

El segundo movimiento termina de la misma manera que empieza: por el dinero; su objeto determinante es, por consecuencia, el valor de cambio. Los dos extremos, las dos sumas de dinero, idénticas en cuanto a su calidad y utilidad, solo se diferencian entre sí por su cantidad; cambiar 100 escudos, por ejemplo, por 100 escudos sería una operación de todo punto inútil. Por consiguiente, el movimiento (dinero-mercancía-dinero) sólo puede tener razón de ser en la diferencia cuantitativa de ambas sumas de dinero. Finalmente, sale de la circulación más dinero del que entró; la forma completa de este movimiento es, por ejemplo, 100 escudos-2000 libras de algodón-110 escudos, es decir, concluye en el cambio de una suma de dinero, 100 escudos, por una suma mayor, 110 escudos. A este excedente, a este acrecentamiento de 10 escudos, es a lo llamamos plusvalía, es decir, sobrevalor o aumento de valor. Por lo tanto, no solamente se conserva en la circulación el valor anticipado, sino que se hace mayor, y esto es lo que lo convierte en capital.

El movimiento que consiste en vender para comprar, que tiende a la apropiación de cosas aptas para satisfacer determinadas necesidades, encuentra fuera de la circulación un límite en el consumo de las cosas compradas, en la satisfacción de las necesidades.

Por el contrario, el movimiento de comprar para vender, que tiende al aumento de valor, no tiene límites, porque si se estanca el valor, que solo aumenta por su renovación continua, no se acrecentará.

El último término del movimiento dinero-mercancía-dinero (110 escudos en nuestro ejemplo) es el primero de un nuevo movimiento de igual género, cuyo último término es mayor que aquel, y así sucesivamente.

Como representante de este movimiento, el poseedor del dinero se convierte en capitalista. El movimiento continuo de la ganancia, constantemente renovado por el lanzamiento continuo del dinero en circulación, la plusvalía creada por el valor, tal es su único objeto. No se preocupa para nada del valor de uso, de la utilidad; para él, mercancías y dinero solo funcionan como formas diferentes del valor que, cambiando incesantemente de forma, cambia también de magnitud y parece haber adquirido la propiedad de procrear. Bajo la forma de dinero, el valor principia, termina y vuelve a empezar su procedimiento de adquisición de plusvalía. Bajo la forma de mercancía, aparece como instrumento para hacer dinero. La fórmula general del capital, tal como se manifiesta en la circulación, es: comprar para vender más caro.

Capítulo IV
Compra y venta de la fuerza de trabajo

La fuerza de trabajo es el origen de la plusvalía

El aumento de valor que convierte al dinero en capital no puede provenir del dinero. Si es cierto que sirve de medio de compra o de medio de pago, no hace otra cosa que realizar los precios de las mercancías que compra o que paga. Si queda tal cual es, evidentemente no aumenta. Es preciso, por lo tanto, que la mudanza de valor provenga de la mercancía comprada y vendida después más cara.

Esta mudanza no se puede efectuar ni en la compra ni en la reventa: en estos dos actos solo hay, en nuestra hipótesis, un cambio de valores equivalentes. No queda, por lo tanto, más que una suposición posible: que la mudanza provenga del uso de la mercancía después de su compra y antes de su reventa. Pero se trata de una alteración en el valor cambiable. Para obtener un aumento de valor cambiable por el uso de una mercancía sería indispensable que el capitalista tuviese la buena suerte de descubrir en la circulación una mercancía que poseyera la especial virtud de ser, por su empleo, fuente de valor cambiable, de tal modo que el hecho de usarla, de consumirla, equivaliera a crear valor.

El capitalista encuentra en el mercado una mercancía dotada de esta virtud especial. La mercancía en cuestión tiene por nombre potencia o fuerza de trabajo. Hay que comprender bajo esta denominación el conjunto de las facultades musculares e intelectuales que existen en el cuerpo de hombre, y que debe poner en actividad para producir cosas útiles.

El cambio indica que los cambistas se consideran recíprocamente propietarios de las mercancías cambiadas obran libremente y con iguales derechos. Por lo tanto, la fuerza de trabajo solo puede ser vendida por su propio dueño; éste, jurídicamente, debe gozar de los mismos derechos que el dueño del dinero con quien trata; debe ser dueño de disponer de su persona y vender su fuerza de trabajo siempre por un tiempo determinado, de modo tal que, pasado este tiempo, recobre la plena posesión de ella. Si la vendiese de una vez para siempre, se haría esclavo y se convertiría de mercader en mercancía.

Por otra parte, para que el dueño del dinero encuentre fuerza de trabajo que comprar, es preciso que el poseedor de esta fuerza, desprovisto de medios para la subsistencia y la producción, tales como materias primas, herramientas, etc., que le permitan satisfacer sus necesidades vendiendo las mercancías producto de su trabajo, esté obligado a vender su fuerza de trabajo como mercancía, por no tener otra mercancía que vender ni de qué vivir fuera de esto.

Es evidente que la Naturaleza no produce por un lado poseedores de dinero o de mercancías, y por otro individuos que solo poseen su fuerza de trabajo. Esta relación, que no tiene fundamento natural, no es tampoco una relación social común a todos los períodos de la Historia. Lo que caracteriza a la época capitalista es que el detentador de los medios de subsistencia y de producción encuentra en el mercado al trabajador, cuya fuerza de trabajo reviste la forma de mercancía, y el trabajo, por consecuencia, la forma de trabajo asalariado.

Valor de la fuerza de trabajo

Como toda mercancía, la fuerza de trabajo posee un valor determinado por el tiempo de trabajo necesario para su producción.

Como la fuerza de trabajo es una facultad del individuo viviente, es necesario que este se conserve para que subsista aquella. El individuo se ve necesitado para su sustento o para su conservación de cierta cantidad de medios de subsistencia. La fuerza de trabajo tiene, pues, exactamente el valor de los medios de subsistencia necesarios al que la pone en acción, para que pueda comenzar al día siguiente en iguales condiciones de energía vital.

Las necesidades naturales, como son alimentos, vestidos, habitación, calefacción, etc., difieren según los climas y según otras particularidades físicas de un país. Por otra parte, el número de las llamadas necesidades naturales como el modo de satisfacerlas, dependen en gran parte del grado de civilización alcanzado. Mas para un país y una época determinados, la medida de los medios necesarios de subsistencia está igualmente determinada.

Los dueños de la fuerza de trabajo son mortales; a fin de que se la encuentre siempre en el mercado, como lo reclama la transformación continua del dinero en capital, es preciso que se perpetúen, que reproduzcan en cantidad por lo menos igual la cantidad de fuerza de trabajo que el desgaste y la muerte sustraen. La suma de los medios de subsistencia necesarios para la producción de la fuerza de trabajo comprende, pues, los medios de subsistencia de los sustitutos, es decir, de los hijos de los trabajadores.

Para modificar la naturaleza humana de modo que adquiera habilidad y rapidez en un género determinado de trabajo, es decir, para hacer de ella una fuerza de trabajo desarrollada en un sentido especial, es necesaria, además, cierta educación que, más o menos extensa, ocasiona un gasto mayor o menor de mercancías diversas, siendo la fuerza de trabajo igual a la suma de mercancías necesarias para su producción. Cuando aumenta esta suma, como en el caso actual ocurre, también aumenta su valor.

El precio de la fuerza de trabajo alcanza su mínimo cuando se reduce al valor de los medios de subsistencia, que no se podrían disminuir sin exponer la vida del trabajador; este, entonces, no hace más que vegetar. Pues bien, como el valor de la fuerza de trabajo está basado en las condiciones de una existencia normal, su precio es, en este caso, inferior a su valor.

Hecho ya el contrato entre comprador y vendedor, resulta de la naturaleza especial de la fuerza de trabajo que su valor de uso no ha pasado en realidad a poder del comprador. Si su valor, puesto que ha exigido el gasto de cierta cantidad de trabajo social, se hallaba determinado antes de que entrase en la circulación, su valor de uso, que consiste en su ejercicio, solo se manifiesta después. La enajenación de la fuerza de trabajo y su servicio como valor útil, o, lo que es lo mismo, su venta y su empleo, no se verifican al mismo tiempo.

Ahora bien; casi siempre que se trata de mercancías de este género, cuyo valor de uso enajenado por la venta no es en realidad transmitido simultáneamente al comprador, el dinero no es recibido por el vendedor sino en un plazo más o menos lejano, cuando su mercancía ha servido ya de cosa útil al comprador. En todos los países en que reina la producción capitalista no se paga la fuerza de trabajo hasta que ha funcionado durante cierto tiempo fijado en el contrato; por ejemplo, al fin de cada semana. Por tanto, en todas partes deja el trabajador que el capitalista consuma su fuerza de trabajo antes de obtener el precio de ella; en una palabra, le fía o presta bajo todos conceptos. Como este préstamo, que no es un beneficio vano para el capitalista, no modifica la naturaleza misma del cambio, supongamos por ahora, para evitar complicaciones inútiles, que el dueño de la fuerza de trabajo recibe el precio estipulado desde el momento en que la vende.

El valor de uso entregado por el trabajador al comprador a cambio de dinero solo se muestra en su empleo, en el consumo de la fuerza de trabajo vendida. Este consumo, que es al mismo tiempo producción de mercancías y plusvalía, se hace como el consumo de toda mercancía, fuera del mercado, lejos del dominio de toda circulación. Hemos de salir, pues, de este dominio y penetrar en el de la producción, para conocer el secreto que encierra la fabricación de plusvalía.

III
Producción de la plusvalía absoluta

Capítulo V
Producción de valores de uso y producción de la plusvalía

I. El trabajo en general y sus elementos

El trabajo es el uso o el empleo de la fuerza de trabajo. El comprador de la fuerza de trabajo la consume, haciendo trabajar al que la vende. Para que el trabajador produzca mercancías su trabajo debe ser útil, es decir, realizarse en valores de uso. Luego el capitalista hace producir a su obrero un valor de uso particular, un artículo útil determinado. La intervención del capitalista no puede modificar en lo más mínimo la naturaleza misma del trabajo; por esta razón, examinemos ante todo el movimiento del trabajo útil en general.

Los elementos simples de todo trabajo son: primero, la actividad personal del hombre o trabajo propiamente dicho; segundo, el objeto en que se ejerce el trabajo; tercero, el medio por el cual se ejerce.

1. La actividad personal del hombre es un gasto de las fuerzas de que está dotado su cuerpo.

El resultado de esta actividad existe, antes del gasto de fuerza, en el cerebro del hombre, y no es otra cosa que el propósito a cuya realización el hombre aplica su voluntad a sabiendas. Mientras dura la obra, exige, además del esfuerzo de los órganos en acción, una atención sostenida, que únicamente puede resultar de un esfuerzo constante de la voluntad, y lo exige tanto más cuanto menos atractivo ofrece el trabajo por su objeto y su modo de ejecución.

2. El objeto universal de trabajo que existe independientemente del hombre es la tierra. Todas las cosas cuyo trabajo se limita a romper la unión inmediata con la tierra, por ejemplo, la madera cortada en la selva virgen, el mineral extraído de su vena, son objeto de trabajo por la gracia de la Naturaleza. Se llama materia prima al objeto en que se ha ejercido ya un trabajo, como el mineral lavado. Toda materia prima es objeto de trabajo; pero todo objeto de trabajo no es primera materia: sólo llega a serlo después de haber sufrido una modificación cualquiera efectuada por el trabajo.

3. El medio de trabajo es una cosa o un conjunto de cosas que el hombre pone entre sí y el objeto de su trabajo para ayudar a su acción. El hombre convierte cosas exteriores en órganos de su propia actividad, órganos que añade a los suyos. El almacén primitivo de sus medios de trabajo es la tierra. Esta le suministra, por ejemplo, la piedra de que se vale para frotar, lanzar, cortar, comprimir, etc. En cuanto el trabajo alcanza algún desarrollo, por pequeño que sea, no puede prescindir de medios ya trabajados. Lo que diferencia una época económica de otra, lo que muestra el desenvolvimiento del trabajador, no es tanto lo que se fabrica como la manera de fabricar, como los medios de trabajo con cuyo auxilio se fabrica. Además de las cosas que sirven de instrumentos, de auxiliares de la acción del hombre, los medios de trabajo comprenden, en más amplia acepción, todas las condiciones materiales que, sin entrar directamente en las operaciones ejecutadas, son, no obstante, indispensables, ya que su falta haría defectuoso el trabajo; tales son los obradores, talleres, canales, caminos, etc.

Por consiguiente, en la acción de trabajo, la actividad del hombre efectúa, con ayuda de los medios de trabajo, una modificación voluntaria de su objeto. Esta acción tiene su fin en el producto terminado, en un valor de uso, en una materia que ha experimentado un cambio de forma que la ha adaptado a las necesidades humanas. El trabajo, al combinarse con el objeto de trabajo, se ha materializado. Lo que era movimiento en el trabajador aparece ahora en el producto como una propiedad en reposo. El obrero ha tejido, y el producto es una tela. Considerado el conjunto de este movimiento con relación a su resultado, es decir, al producto, que es entonces medio y objeto de trabajo, ambos se presentan como medios de producción, y el trabajo mismo como trabajo productivo.

Fuera de la industria extractiva, explotación de minas, caza, pesca, etc., en que el objeto de trabajo es suministrado por la Naturaleza, en los demás ramos de la industria entran materia prima, es decir, objetos en que se ha efectuado ya un trabajo. El producto de un trabajo llega a ser así el medio de producción de otro.

Puede constituir la materia prima la sustancia principal de un producto o entrar únicamente en él bajo la forma de materia auxiliar. En tal caso esta queda consumida por el medio del trabajo, como la hulla por la máquina de vapor o el heno por el caballo de tiro, o se une a la materia prima para modificarla en algún concepto, como el color a la lana, o, por último, favorece la realización del trabajo, como las materias usadas en el alumbrado y calefacción del taller.

Como todo objeto posee propiedades diversas y se presta por ellas a más de una aplicación, el mismo producto es apto para formar la materia prima de diferentes operaciones. Así, los granos sirven de materia prima al molinero, al destilador, al ganadero, etc., y como semilla sirven de materia prima en su propia producción.

Puede servir de medio de trabajo y de materia prima en la misma producción el producto mismo; en la cría de ganado, por ejemplo, el animal, materia trabajada, funciona también como medio de trabajo para la preparación del estiércol.

Un producto con una forma que lo hace adecuado para el consumo puede llegar a ser, a su vez, materia prima de otro producto. La uva es la materia prima del vino. Hay productos también que solo sirven para materias prima, en este caso, se dice que el producto no ha recibido más que una semielaboración: el algodón, por ejemplo.

El carácter de producto, de materia prima o de medio de trabajo depende, cuando se trata de un valor de uso u objeto útil, del lugar que ocupa en el acto del trabajo, y cambia de carácter al cambiar de lugar.

Entrando todo valor de uso en operaciones nuevas como medio de producción, pierde, pues, su carácter de producto y únicamente funciona en calidad de colaborador del trabajo para la producción de nuevos productos.

El trabajo gasta sus elementos materiales, objeto de trabajo y medio de trabajo, y es, por lo tanto, un acto de consumo. El consumo productivo se distingue del consumo individual en que este consume los productos como medios de satisfacción del individuo, en tanto que el primero los consume como medios de ejercicio del trabajo.

El producto del consumo individual es el consumidor mismo; el resultado del consumo productivo es un producto distinto del consumidor.

Tal como acabamos de analizarlo desde el punto de vista general, el movimiento del trabajo útil, es decir, la actividad, que tiene por objeto la producción de valores de uso, la adaptación de los medios exteriores a nuestras necesidades, es una exigencia física de la vida humana, común a todas las formas sociales; no puede, pues, su estudio en general indicarnos con arreglo a qué condiciones sociales especiales se realiza en un caso dado.

El trabajo ejecutado por cuenta del capitalista

El capitalista en agraz compra en el mercado, escogiéndolo de buena calidad y pagándolo en su justo precio, todo lo necesario para la realización del trabajo, medios de producción y fuerza de trabajo.

Evidentemente, la naturaleza general del trabajo no se modifica por la intervención del capitalista. Como consumo de fuerza de trabajo para el capitalista, el movimiento del trabajo presenta dos particularidades.

Hay que considerar en primer lugar que el obrero trabaja bajo la inspección del capitalista, a quien pertenece su trabajo. El capitalista vigila cuidadosamente para que los medios de producción se empleen con arreglo al fin que desea, para que la tarea se haga a conciencia y para que el instrumento de trabajo solo sufra el daño que su empleo debe hacerle sufrir.

Debe considerarse en segundo lugar que el producto es propiedad, no del productor inmediato, que es el trabajador, sino del capitalista. Este paga el valor cotidiano, por ejemplo, de la fuerza de trabajo; por lo tanto, el uso de esta fuerza de trabajo le pertenece durante un día, como el de un caballo que se alquila diariamente. El uso de la mercancía pertenece, en efecto, al comprador, y al dar su trabajo al poseedor de la fuerza de trabajo, es decir, el obrero, solo da en realidad el valor de uso que ha vendido; desde su entrada en el taller pertenece al capitalista la utilidad de su fuerza de trabajo. Aquel, al comprar ésta, ha añadido el trabajo como elemento activo del producto a los elementos pasivos, a los medios de producción que poseía. Es una operación de cosas que ha comprado, que le pertenecen. El producto resultante le pertenece, pues, con igual título que el producto de la fermentación en su bodega.

II. Análisis del valor del producto

El producto, propiedad del capitalista, es un valor de uso, como tela, calzado, etc. Pero, por lo común, el capitalista no fabrica por amor a la tela. En la producción mercantil sólo sirve para portar valor el valor de uso, el objeto útil; lo principal para el capitalista es producir un objeto útil que tenga un valor cambiable, un artículo destinado a la venta, una mercancía. El capitalista quiere además que el valor de esta mercancía supere al valor de las mercancías empleadas en producirlas, es decir, al valor de los medios de producción y de la fuerza de trabajo en cuya compra invirtió su dinero. Quiere producir, no solo una cosa útil, sino un valor, y no únicamente un valor, sino también una plusvalía.

Del mismo modo que la mercancía es a la vez valor de uso y valor de cambio, su producción debe ser a la vez formación de valor de uso y de valor. Vamos a examinar ahora la producción desde el punto de vista del valor.

Nosotros sabemos que el valor de una mercancía está determinado por la cantidad de trabajo que contiene, por el tiempo socialmente necesario para su producción. Necesitamos, pues, calcular el trabajo contenido en el producto que ha hecho fabricar nuestro capitalista, por ejemplo, cinco kilogramos de hilados.

Es necesaria, p,; pongamos 5 kilogramos de algodón, comprados en el mercado en su valor, que es, por ejemplo, 13 marcos; admitamos que el desgaste de los instrumentos empleados, brocas, etc., ascienda a 3 marcos. Si una masa de oro de 16 marcos, que es el total de los guarismos anteriores, es el producto de 24 horas de trabajo, se deduce que, al ser la jornada de trabajo de 12 horas, hay ya dos jornadas contenidas en los hilados.

Ya sabemos que el valor que el algodón y el desgaste de las brocas dan a los hilados es igual a 16 marcos. Fáltanos averiguar el valor que añade al producto el trabajo del hilandero.

Es indiferente en esto el género especial de trabajo o su cualidad; lo que importa es su cantidad no se trata, como cuando se considera el valor de uso, de las necesidades particulares que la actividad del trabajador tiene por objeto satisfacer, sino solamente del tiempo durante el cual ha gastado su energía en esfuerzos útiles. No hay que olvidar, por otra parte, que el tiempo necesario en las condiciones ordinarias de la producción es el único que se cuenta para la formación del valor.

Desde este último punto de vista, la materia prima se impregna de cierta cantidad de trabajo, únicamente considerado como gasto de fuerza humana en general. Es verdad que esta absorción de trabajo convierte la materia prima en hilados, al gastarse la fuerza del obrero en la forma particular de trabajo que se llama hilar; pero el producto en hilados, por el momento, solo sirve para indicar la cantidad de trabajo absorbido por el algodón. Por ejemplo, 5 kilogramos de hilados indicarán 6 horas de trabajo, si para hilar 833 gramos se necesita una hora. Ciertas cantidades de productos, determinados por la experiencia, representan el gasto de la fuerza de trabajo durante una hora, dos, un día.

Supongamos que al realizarse la venta de la fuerza de trabajo se ha sobrentendido que su valor diario era de 4 marcos, suma equivalente a 6 horas de trabajo, y por tanto, que era preciso trabajar 6 horas para producir lo necesario al sustento diario del obrero. Pero nuestro hilandero ha transformado en 6 horas, en inedia jornada de trabajo, los 5 kilogramos de algodón en 5 kilogramos de hilados. Habiéndose fijado este mismo tiempo de trabajo en una cantidad de oro de 4 marcos, ha añadido al algodón un valor de 4 marcos.

Ahora hagamos la cuenta del valor total del producto. Los 5 kilogramos de hilados contienen dos jornadas y media de trabajo; algodón y brocas representan dos jornadas y la operación de hilar media jornada. La misma cantidad de trabajo existe en una masa de oro de 20 marcos. El precio 20 marcos expresa, pues, el valor exacto de 5 kilogramos de hilados; el precio 4 marcos es el de un kilogramo.

En toda demostración los guarismos son arbitrarios, pero la demostración es la misma, cualesquiera que sean los guarismos y el género de producto que se han tenido en cuenta.

El valor del capital adelantado es igual al valor del producto. Este capital no ha procreado, no ha engendrado plusvalía, y por tanto, el dinero no se ha convertido en capital. El precio de 5 kilogramos de hilados es de 20 marcos, y 20 marcos se han gastado en el mercado en la compra de los elementos constitutivos del producto: 13 marcos para 5 kilogramos de algodón, 3 marcos por desgaste de las brocas durante 6 horas y 4 marcos por la fuerza de trabajo.

Diferencia entre el valor de la fuerza de trabajo y el valor que puede crear

Vamos a examinar esta cuestión más de cerca. La fuerza de trabajo importa 4 marcos, porque esto es lo que cuestan las subsistencias necesarias para el sustento diario de esta fuerza. El dueño de ella, el obrero, produce un valor equivalente en media jornada de trabajo, no significando esto que no puede trabajar una jornada entera ni producir más. Así, pues, el valor que la fuerza de trabajo posee y el que puede crear difieren en magnitud. En su Venta, la fuerza de trabajo realiza su valor determinado por los gastos del diario sostén; en su uso, puede producir en un día más valor del que ha costado. El capitalista ha tenido precisamente en cuenta esa diferencia de valor al comprar la fuerza de trabajo.

Por otra parte, nada hay en todo esto que no se acomode a las leyes del cambio de las mercancías. En efecto, el obrero, vendedor de la fuerza de trabajo, como el vendedor de toda mercancía, obtiene el valor cambiable y cede el valor de uso: no puede obtener el primero sin entregar el segundo. El valor de uso de la fuerza de trabajo, es decir, el trabajo, no pertenece al que lo vende, así como el empleo del aceite que ha vendido no pertenece al tendero. El dueño del dinero ha pagado el valor diario de la fuerza de trabajo, cuyo uso le pertenece por todo un día, durante una jornada entera. El hecho de que el sustento diario de esta fuerza cuesta sólo media jornada de trabajo, pudiendo, no obstante, trabajar la jornada entera, esto es, que el valor creado por su uso en el espacio de un día es mayor que su propio valor diario, constituye una buena suerte para el comprador, pero que en nada lesiona el derecho del vendedor.

A partir de este momento, el obrero encuentra en el taller los medios de producción necesarios, no para medio día, sino para un día de trabajo, para doce horas. Puesto que 5 kilogramos de algodón, al consumir 6 horas de trabajo, se convertían en 5 kilogramos de hilados. 10 kilogramos de algodón, absorbiendo 12 horas de trabajo, se convertirán en 10 kilogramos de hilados. Estos 10 kilogramos contienen entonces 5 jornadas o días de trabajo; cuatro estaban contenidos en el algodón y las brocas consumidas y uno ha sido absorbido por el algodón durante la hilanza. Pero si una masa de oro de 16 marcos es el producto de 24 horas de trabajo, la expresión monetaria de cinco días de trabajo de 12 horas será 40 marcos.

Esto es, pues, el precio de los 10 kilogramos de hilados. El kilogramo cuesta ahora lo mismo que antes, cuatro marcos, pero el valor total de las mercancías empleadas en la operación es de 36 marcos: 26 marcos por 10 kilogramos de algodón, seis marcos por el desperfecto de las brocas durante 12 horas y cuatro marcos por la jornada de trabajo.

Aquellos 36 marcos anticipadas se han convertido en 40 marcos, habiendo creado una plusvalía de cuatro marcos. Está hecha la jugada; el dinero se ha transformado en capital.

El problema de la transformación del dinero en capital está resuelto

Tal como lo habíamos planteado al final del capítulo anterior, el problema está resuelto en todos sus términos.

El capitalista compra en el mercado cada mercancía en su justo valor (algodón, brocas, fuerza de trabajo), y luego, como todo comprador, consume su valor de uso. Siendo el consumo de la fuerza de trabajo al mismo tiempo producción de mercancías, ofrece un producto de 10 kilogramos de hilados, que vale 40 marcos. El capitalista, que había salido del mercado después de hacer sus compras, vuelve a él entonces como vendedor. Vende los hilados a cuatro marcos el kilogramo, ni un céntimo más de su valor, y no obstante, retira de la circulación cuatro marcos más de lo que había puesto. Esta transformación de su dinero en capital se efectúa y no se efectúa en el campo de la circulación, sirviendo ésta de intermediaria. La fuerza de trabajo se vende en el mercado para ser explotada fuera del mercado, en el dominio de la producción, donde es origen de plusvalía.

La producción de plusvalía no es otra cosa que la producción del valor prolongada más allá de cierto límite. Si la acción del trabajo dura sólo hasta el momento en que el valor de la fuerza de trabajo pagada por el capital es reemplazado por un valor equivalente, hay simple producción de valor. Cuando pasa de este límite, hay producción de plusvalía.

Capítulo VI
Capital constante y capital variable

Propiedad del trabajo de conservar valor creando valor

Los elementos diversos que contribuyen a la ejecución del trabajo tienen una parte diferente en la formación del valor de los productos.

El obrero añade un valor nuevo al objeto del trabajo por la adición de nuevas dosis de trabajo, sea cual fuere el género de utilidad de éste. Por otra parte, hallamos en el valor del producto el valor de los medios de producción consumidos, por ejemplo, el valor del algodón y de las brocas en el de los hilados. Por lo tanto, el valor de los medios de producción se conserva y se transmite al producto por medio del trabajo. Pero ¿de qué modo se efectúa esta transmisión?

El obrero no trabaja una vez para añadir nuevo valor al algodón y otra vez para conservar el antiguo, o lo que es igual, para transmitir a los hilados el valor de las brocas que desgasta y del algodón que elabora. Por la simple adición del valor conserva el antiguo. Pero como el hecho de añadir valor nuevo al objeto de trabajo y conservar el valor antiguo en el producto son dos resultados enteramente distintos que el obrero obtiene en el mismo espacio de tiempo, este doble efecto no puede resultar evidentemente sino del doble carácter de su trabajo. Este debe en el mismo momento crear valor en virtud de una propiedad, y en virtud de otra conservar o transmitir valor.

El hilador añade valor hilando, el tejedor cuando teje, el forjador forjando, etc., y esta forma de hilanza, de tejido, de forjado, etc., en otros términos, la forma productiva especial en que se emplea el trabajo, es causa de que los medios de producción, tales como algodón y brocas, hilo y telar, hierro y yunque, den origen a un nuevo producto. Ahora bien, ya hemos visto que el tiempo de trabajo necesario para crear los medios de producción consumidos entra en cuenta en el producto nuevo; por consiguiente, el trabajador conserva el valor de los medios de producción consumidos, y lo trasmite al producto como parte constitutiva de su valor por la forma útil especial del trabajo añadido.

Si no fuese la hilanza, por ejemplo, el trabajo especial del obrero, no haría hilados y no transmitiría a su producto los valores de las brocas y del algodón empleado en la hilanza. Pero si nuestro hilador cambia de oficio por un día de trabajo, y se hace carpintero, por ejemplo, añadirá como antes un valor a las materias. Añade, pues, este valor por su trabajo, no considerado como trabajo de hilador o de carpintero, sino como trabajo en general, como gasto de fuerza humana, y añade cierta cantidad de valor porque ha durado cierto tiempo, no porque su trabajo tenga tal o cual forma útil particular. Así, una nueva cantidad de trabajo añade nuevo valor, y por la calidad del trabajo añadido, los antiguos valores de los medios de producción se conservan en el producto.

Aparece claramente este doble efecto del mismo trabajo en una multitud de circunstancias. Supongamos que una invención cualquiera permite al obrero hilar en 6 horas tanto algodón como antes en 18. Como actividad productiva, la potencia de su trabajo se ha triplicado y su producto es tres veces mayor: 15 kilogramos en lugar de 5. La cantidad de valor añadida al algodón por las 6 horas de hilanza sigue siendo la misma; solamente que esa cantidad recaía antes sobre 5 kilogramos y ahora recae sobre 15, siendo, por lo tanto, tres veces menor. Por otra parte, al ser ahora empleados 15 kilogramos de algodón en lugar de 5, el producto de 6 horas de trabajo contiene un valor seis veces mayor de algodón. Así, pues, en 6 horas de hilanza, un valor tres veces mayor de materia prima se conserva y transmite al producto, aunque el valor que se añade a esa misma materia sea tres veces más pequeño. Demuestra esto que la propiedad en cuya virtud el trabajo conserva el valor es esencialmente distinta de la propiedad por la que crea el valor durante la misma operación.

El medio de producción solo trasmite al producto el valor que él pierde, perdiendo su utilidad primitiva; pero en este concepto, los elementos materiales del trabajo se comportan de diferente modo.

Las materias primas y las auxiliares pierden su aspecto al servir para la ejecución de un trabajo. Pero ocurre una cosa distinta con los instrumentos propiamente dichos que duran más o menos tiempo y funcionan en mayor o menor número de operaciones. Por experiencia se sabe la duración media de un instrumento de trabajo, y por lo tanto, se puede calcular su desgaste diario y lo que cada día transmite de su propio valor al producto; pero el instrumento de trabajo, por ejemplo, una máquina, aunque diariamente transmite una parte de su valor a su producto diario, todos los días funciona entera durante la ejecución del trabajo.

Por consiguiente, aun cuando un elemento de trabajo entre todo entero en la producción de un objeto de utilidad, de un valor de uso, en la formación del valor no entra más que en parte. Un medio de producción puede, por el contrario, entrar entero en la formación del valor, y sólo en parte en la producción de un valor de uso. Supongamos que en la hilanza de 115 kilogramos de algodón haya 15 de desecho. Si este 15 por 100 de pérdida es inevitable por término medio en la fabricación, el valor de los 15 kilogramos de algodón que no se transforman en hilados entra todo también en el valor de los hilados, como el de los 100 kilogramos que forman parte de su sustancia. Desde el momento que esta pérdida es una condición de la producción, el algodón perdido transmite a los hilados su valor.

Debido a que no transmiten al nuevo producto más que el valor que pierden bajo su antigua forma, solo los medios de producción pueden añadirle valor si ellos mismos lo poseen. Se halla determinado su valor, no por el trabajo en que entran como medio de producción, sino por el trabajo de donde sus productos se derivan.

Valor simplemente conservado y valor reproducido y aumentado

La fuerza de trabajo en actividad, el trabajo viviente, tiene, pues, la propiedad de conservar el valor añadiendo valor. Si esta propiedad nada cuesta al trabajador, produce mucho al capitalista, que le debe la conservación actual de su capital. Perfectamente lo echa de ver en el momento de las crisis, de las interrupciones de trabajo, en que ha de soportar los gastos de deterioro de los medios de producción de que su capital se compone: materias primas, instrumentos, etc., que permanecen inactivos.

Hemos dicho que el valor de los medios de producción se conserva y no se reproduce, porque los objetos en los que existe en un principio no desaparecen sino para revestir nueva forma útil, y el valor persiste bajo los cambios de forma. Lo producido es un nuevo objeto de utilidad en que el valor antiguo continúa apareciendo.

En tanto que el trabajo conserva y transmite al producto el valor de los medios de producción, crea a cada instante un valor nuevo. Suponiendo que la producción cesara cuando el trabajador hubiera creado de este modo el equivalente del valor diario de la propia fuerza, cuando hubiera añadido al producto, por medio de un trabajo de seis horas, un valor de cuatro marcos, este valor reemplazaría el dinero que el capitalista anticipara para la compra de la fuerza de trabajo, y que el obrero invertiría enseguida en subsistencias. Pero este valor, al contrario de lo que hemos sentado respecto del valor de los medios de producción, habría sido producido en realidad; si un valor reemplaza a otro, es merced a una nueva creación.

Sabemos ya, sin embargo, que la duración del trabajo traspasa el límite en que el equivalente del valor de la fuerza de trabajo se hallaría reproducido y añadido al objeto trabajado. En lugar de seis horas que suponemos bastarían para esto, la operación dura 12 horas o más. La fuerza de trabajo en movimiento no reproduce sólo su propio valor, sino que produce también valor de más. Esta plusvalía forma el excedente del valor del producto sobre el de sus elementos constitutivos: los medios de producción y la fuerza de trabajo.

Por lo tanto, en una producción, la parte del capital que se transforma en medios de producción, o lo que es igual, en primeras materias, materias auxiliares o instrumentos de trabajo, el acto de la producción no cambia la magnitud de su valor. Por esto lo denominamos parte constante del capital o capital constante simplemente.

Por el contrario, la parte del capital transformada en fuerza de trabajo cambia el valor de una nueva producción y por el hecho mismo de esta producción. Primero reproduce su propio valor, produciendo además un excedente, una plusvalía mayor o menor. Esta parte del capital, de magnitud alterable, convinimos en llamarla parte variable del capital, o simplemente capital variable.

Capítulo XII
División del trabajo y manufactura

I. Doble origen de la manufactura

La especie de manufactura que tiene por base la división del trabajo reviste en la manufactura su forma clásica y domina durante el Período manufacturero propiamente dicho, que, aproximadamente, dura desde la mitad del siglo XVI hasta el último tercio del XVIII.

Por una parte, un solo taller puede reunir artesanos de oficios diferentes bajo las órdenes del mismo capitalista, debiendo pasar por las manos de aquellos un producto para quedar enteramente concluido. Un coche fue primero el producto de los trabajos de gran número de artesanos independientes unos de otros, tales como carreteros, guarnicioneros, torneros, pintores, etc. La manufactura carrocería los ha reunido a todos en un mismo local, donde trabajan a la par; como se hacen muchos carruajes a la vez, cada obrero tiene siempre su tarea particular que realizar. Pero se introduce bien pronto una modificación esencial. El cerrajero, el carpintero, etc., que solo se han ocupado en la fabricación de coches, pierden poco a poco la costumbre y con ella la capacidad de ejercer su oficio en toda su extensión; limitados desde este momento a una especialidad de su oficio, adquiere su habilidad la forma más propia para este ejercicio circunscrito.

Por otra parte, gran número de obreros, cada uno de los cuales fabrica el mismo objeto, pueden ser ocupados al mismo tiempo por el mismo capitalista en el mismo taller; esta es, en su forma más sencilla, la cooperación. Cada uno de los obreros hace la mercancía entera, ejecutando sucesivamente las diversas operaciones necesarias.

En virtud de circunstancias exteriores, un día, en vez de hacer que cada obrero ejecute las diferentes operaciones, se confía cada una de éstas especialmente a uno entre aquellos, y entonces todas en conjunto resultan ejecutadas al mismo tiempo por los cooperadores, ejecutando sólo una cada uno de ellos en lugar de hacerlas todas sucesivamente cada obrero. Realizada esta división accidentalmente la vez primera, se repite, muestra sus ventajas, y concluye por ser una división sistemática del trabajo. De producto individual de un obrero independiente que ejecuta una porción de operaciones diversas, se convierte la mercancía en el producto social de una reunión de obreros, cada uno de los cuales efectúa constantemente la misma operación de detalle.

El origen de la manufactura, su procedencia del oficio, presenta, por lo tanto, un doble aspecto. Por un lado, tiene por punto de partida la combinación de oficios diversos e independientes, la cual se simplifica hasta reducirlos a la categoría de operaciones parciales y complementarias en la producción de la misma mercancía. Por otra parte, se apodera de la cooperación de artesanos del mismo género, descompone su oficio en sus diferentes operaciones, las aísla y las hace independientes de modo tal que cada una de ellas llega a ser la función exclusiva de un trabajador que, al confeccionar solo una parte de un producto, no es más que un trabajador fraccionario. Así, pues, ya combina oficios distintos cuyo producto es la obra, ya desarrolla la división del trabajo en un oficio. Cualquiera que sea su punto de partida, su forma definitiva es la misma: un organismo de producción cuyos miembros son hombres.

Si se quiere apreciar bien la división del trabajo en la manufactura, es esencial no perder de vista los dos puntos siguientes: primero, la ejecución de las operaciones no deja de depender de la fuerza, de la habilidad, de la rapidez del obrero en el manejo de su utensilio; por eso cada obrero queda adscrito a una función de detalle, a una función fraccionaria por toda su vida; segundo, la división manufacturera del trabajo es una cooperación de género particular; no obstante, sus ventajas dependen principalmente, no de esta forma particular, sino de la fuerza general de la cooperación.

II. El trabajador fraccionario y su utensilio

El obrero fraccionario convierte su cuerpo entero en órgano maquinal de una sola operación simple, ejecutada por él durante su vida, de modo que llega a efectuarla con más rapidez que el artesano que ejecuta toda una serie de operaciones. Comparada con el oficio independiente, la manufactura, compuesta de trabajadores fraccionarios, suministra más productos en menos tiempo; o en otros términos, aumenta la fuerza productiva del trabajo.

El artesano que tiene que efectuar operaciones diferentes debe cambiar, bien de lugar o bien de instrumentos. El paso de una operación a otra ocasiona intervalos improductivos, interrupciones en el trabajo, las cuales desaparecen, dejando más tiempo a la producción a medida que disminuye para cada trabajador el número de cambios de operaciones, en virtud de la división del trabajo. Por otra parte, este trabajo continuo y uniforme concluye por fatigar el organismo, que encuentra alivio y solaz en la actividad variada.

Cuando llegan a ser funciones exclusivas las partes del trabajo dividido, su método se perfecciona. Si se repite constantemente un acto simple y se concentra en él la atención, se llega a alcanzar por la experiencia el efecto útil deseado con el menor gasto posible de fuerza; y como siempre diversas generaciones de obreros viven y trabajan al mismo tiempo en los mismos talleres, los procedimientos técnicos adquiridos, las llamadas tretas del oficio, se acumulan y se transmiten, y de este modo, aumentan la potencia productora del trabajo.

La productividad del trabajo no depende únicamente de la habilidad del obrero, sino también de la perfección de sus instrumentos. Una misma herramienta puede servir para operaciones distintas; a medida que estas operaciones se separan, el utensilio abandona su forma única y se subdivide cada vez más en variedades diferentes, cada una de las cuales posee una forma propia para un solo uso, pero la más adecuada para este uso. El período manufacturero simplifica, perfecciona y multiplica los instrumentos de trabajo, acomodándolos a las funciones separadas y exclusivas de los obreros fraccionarios.

El trabajador fraccionario y su utensilio: tales son los elementos simples de la manufactura cuyo mecanismo general vamos a examinar.

III. Las dos formas fundamentales de la manufactura

La manufactura presenta dos formas fundamentales que, no obstante su mezcla accidental, constituyen dos especies esencialmente distintas, que desempeñan papeles muy diferentes al ocurrir la transformación que después tiene lugar de la manufactura en gran industria. Este doble carácter depende de la naturaleza del producto, que debe su forma definitiva a un simple ajuste mecánico de productos parciales independientes o a una serie de transformaciones ligadas unas a otras.

La primera especie suministra productos cuya forma definitiva es una simple reunión de productos parciales que hasta pueden ser ejecutados como oficios distintos; un producto-tipo de esta especie es el reloj. El reloj constituye el producto social de inmenso número de trabajadores, tales como los que hacen los resortes, esferas o muescas, agujas, cajas, tornillos, los doradores, etc. Abundan las subdivisiones. Hay, por ejemplo, los fabricantes de ruedas (ruedas de latón y ruedas de acero separadamente), los que trabajan los muelles, ejes, escape, volante, el pulidor de las ruedas y el de los tornillos, el pintor de cifras, el grabador, el pulidor de la caja, etc.; y por último, el ajustador, que, reuniendo estos elementos separados, entrega el reloj concluido. Pero estos elementos tan diversos hacen enteramente accidental la reunión en un mismo taller de los obreros que los preparan: los obreros domiciliarios que ejecutan en sus casas estos trabajos de detalle, pero por cuenta de un capitalista, se hacen una terrible concurrencia en provecho del capitalista, que economiza además los gastos del taller. Así, la explotación manufacturera solo da beneficios en circunstancias excepcionales.

La segunda especie de manufactura, su forma perfecta, suministra productos que recorren toda una serie d desarrollos graduales. En la manufactura de alfileres, por ejemplo, el alambre de latón pasa próximamente por las manos de un centenar de obreros, cada uno de los cuales efectúa operaciones distintas. Combinando oficios que eran antes independientes, una manufactura de este género disminuye el tiempo entre diversas operaciones, y la ganancia en fuerza productiva que resulta de esta economía de tiempo depende del carácter cooperativo de la manufactura.

Mecanismo general de la manufactura

Antes de llegar a su forma definitiva, el objeto de trabajo, el latón por ejemplo, en la manufactura de alfileres, recorre una serie de operaciones que, dado el conjunto de los productos en obra, se realizan todas simultáneamente. Se ve ejecutar a la vez el corte del alambre, la preparación de las cabezas, la afiladura de las puntas, etc.; el producto aparece así en el mismo momento en todos sus grados de transformación.

Como el producto parcial de cada trabajador fraccionario es sólo un grado particular de desarrollo de la obra completa, el resultado del trabajo de uno es el punto de partida del trabajo de otro. El tiempo de trabajo necesario para obtener en cada operación parcial el efecto útil apetecido se establece experimentalmente, y el mecanismo total de la manufactura funciona con la condición de que en un tiempo dado debe obtenerse un resultado determinado. De esta manera, los trabajos diversos y complementarios pueden marchar paralelamente y sin interrupción. Esta dependencia inmediata en que se encuentran recíprocamente trabajos y trabajadores obliga a cada uno a emplear solo el tiempo necesario en su función y aumenta por lo mismo el rendimiento del trabajo.

Sin embargo, operaciones diferentes exigen tiempos desiguales, y por lo tanto, suministran en tiempos iguales cantidades desiguales de productos parciales. Para conseguir, pues, que el mismo obrero ejecute todos los días una sola operación sin pérdida de tiempo, es preciso emplear para operaciones diferentes diverso número de obreros: cuatro fundidores, por ejemplo, para dos compositores y un pulidor, en una manufactura de caracteres de imprenta. En una hora el fundidor funde solo 2000 caracteres, en tanto que el compositor compone 4000 y el raspador raspa 7000 en el mismo espacio de tiempo.

Determinado ya por la experiencia, para una cifra dada de producción existe un número proporcional más conveniente de obreros en cada grupo especial. Esta cifra únicamente puede aumentarse si se aumenta cada grupo especial proporcionalmente a su número de trabajadores.

Puede componerse no solo de obreros que realizan la misma tarea, sino de trabajadores, cada uno de los cuales tiene su función particular en la confección de un producto parcial. El grupo constituye entonces un trabajador colectivo perfectamente organizado. Los obreros que lo componen forman otros tantos órganos diferentes de una fuerza colectiva, que funciona merced a la cooperación inmediata de todos. Si falta uno de ellos se paraliza el grupo de que forma parte.

Por último, de la misma manera que la manufactura proviene en parte de una combinación de oficios diferentes, puede también desarrollarse combinando diferentes manufacturas. De este modo, se fabrican los crisoles de arcilla necesarios, en las fábricas de vidrio importantes. La manufactura del medio de producción se une a la manufactura del producto, y la manufactura del producto a manufacturas en las que entra éste como y primera materia. Las manufacturas combinadas forman en este caso secciones de la manufactura total, aunque constituyen actos independientes de producción, cada uno de los cuales tiene su división distinta del trabajo. A pesar de sus ventajas, la manufactura combinada no adquiriere verdadera unidad sino después de la transformación de la industria manufacturera en industria mecánica

En algunos puntos se ha desarrollado con la manufactura el uso de las máquinas, sobre todo para ciertos trabajos preliminares sencillos que solo pueden ejecutarse en grande y con un gasto considerable de fuerza, por ejemplo, como la partición del mineral en los establecimientos metalúrgicos. Pero generalmente las máquinas desempeñan en el período manufacturero un papel secundario.

Acción de la manufactura sobre el trabajo

El trabajador colectivo formado por la combinación de gran número de obreros fraccionarios constituye el mecanismo propio del período manufacturero.

Las operaciones diversas que el productor individual de una mercancía ejecuta sucesivamente, y que se confunden en el conjunto de su trabajo, exigen cualidades de diferente índole. En una necesita emplear más habilidad, en otra más fuerza, más atención en una tercera, etc., y el mismo individuo no posee todas estas facultades en grado igual. Separadas y hechas independientes las distintas operaciones, son clasificados los obreros según las facultades que predominan en cada uno de ellos. De este modo, el trabajador colectivo posee todas las facultades productivas requeridas que no se pueden encontrar reunidas en el trabajador individual, y las gasta lo más económica y útilmente posible, empleando a las individualidades que lo componen sólo en funciones adecuadas a sus cualidades. Considerado como miembro del trabajador colectivo, el trabajador fraccionario llega a ser tanto más perfecto cuanto más incompleto es.

El hábito de una función única lo convierte en órgano infalible y maquinal de esta función, al mismo tiempo que el conjunto del mecanismo lo obliga a obrar con la regularidad de una pieza de máquina.

Siendo las funciones del trabajador colectivo más o menos simples, más o menos elevadas, sus órganos, es decir, las fuerzas individuales de trabajo, deben ser también más o menos simples, más o menos desarrolladas; poseen, por consiguiente, valores distintos. De esta suerte, para responder a la jerarquía de las funciones, la manufactura crea una jerarquía de fuerzas de trabajo, a la cual corresponde una graduación de salarios.

Todo acto de producción exige ciertos trabajos de que cualquiera es capaz. Esos trabajos son separados de las operaciones principales que los necesitan y convertidos en funciones exclusivas. La manufactura produce una categoría de simples peones o braceros en cada oficio que entra en su dominio. Si bien desarrolla la especialidad aislada, hasta el punto de hacer de ella una habilidad excesiva a expensas de la potencia del trabajo integral, empieza también por hacer una especialidad de la falta de todo desarrollo. Al lado de la gradación jerárquica se constituye una división simple de los trabajadores en hábiles e inhábiles.

Los gastos de aprendizaje son nulos para estos últimos; para los primeros son menores que los que supone el oficio aprendido en su conjunto. La fuerza de trabajo, que depende de la disminución o desaparición de los gastos de aprendizaje, ocasiona un aumento de plusvalía. En efecto, todo lo que aminora el tiempo necesario para la producción de la fuerza de trabajo acrecienta por este mismo hecho el dominio del sobretrabajo.

IV. División del trabajo en la manufactura y en la sociedad

Vamos ahora a examinar la relación entre la división manufacturera del trabajo y su división social (distribución de los individuos entre las diversas profesiones) la cual forma la base general de toda producción mercantil.

Si nos limitamos a considerar el trabajo en sí, se puede designar la separación de la producción social en sus grandes ramas (industria, agricultura, etc.) con el nombre de división del trabajo en general; la reparación de estos grandes géneros de producción en especie y variedades bajo el de división del trabajo en particular; y finalmente, la división en el taller con el nombre de trabajo en detalle.

Del mismo modo que la división del trabajo en la manufactura supone como base material cierto número de obreros ocupados a la vez, así también la división del trabajo en la sociedad supone una población bastante numerosa y bastante compacta que corresponde a la aglomeración de los obreros en el taller.

La división manufacturera del trabajo no arraiga sino allí donde su división social ha llegado ya a cierto grado de desarrollo, y como resultado, desarrolla y multiplica esta misma, subdividiendo una profesión con arreglo a la variedad de sus operaciones y organizando en oficios distintos estas diferentes, operaciones.

No obstante las semejanzas y relaciones que existen entre la división del trabajo en la sociedad y la división del trabajo en el taller, existe entre ellas una diferencia esencial.

La semejanza resulta patente allí donde diversas ramas de industria están unidas por lazo íntimo. El ganadero, por ejemplo, produce pieles; el curtidor las convierte en cuero; el zapatero con el cuero hace zapatos. En esta división social del trabajo, como en la división manufacturera, cada uno suministra un producto gradual, y el último producto es la obra colectiva de trabajos especiales.

Pero ¿qué es lo que constituye la relación entre los trabajos independientes del ganadero, del curtidor y del zapatero? El ser mercancías sus productos respectivos. Y por el contrario, ¿cuál es el carácter propio de la división manufacturera del trabajo? El no producir mercancías los trabajadores, siendo sólo mercancías su producto colectivo. La división manufacturera del trabajo supone una concentración de medios dé producción en manos del capitalista; la división social del trabajo supone la dispersión de los medios de producción, entre gran número de productores comerciantes, independientes unos de otros. En tanto que en la manufactura la proporción indicada por la experiencia determina el número de obreros afectos a cada función particular, el acaso y lo arbitrario imperan de la manera más desarreglada en la distribución de los productos y de sus medios de producción entre las distintas ramas del trabajo social.

Los diferentes ramos de la producción, que se emplean y restringen según las oscilaciones de los precios del mercado, tienden, no obstante, a buscar el equilibrio por la presión de catástrofes. Ahora bien, esta tendencia a equilibrarse no es más que una reacción contra la destrucción continua de este equilibrio.

La división manufacturera del trabajo supone la autoridad absoluta del capitalista sobre hombres transformados en simples miembros de un mecanismo que le pertenece. La división social del trabajo pone frente a frente a productores que no conocen otra autoridad que la de la concurrencia, ni más fuerza que la presión que ejercen sobre ellos sus intereses recíprocos. ¡Y esa conciencia burguesa, que preconiza la división manufacturera del trabajo, es decir, la condenación perpetua del trabajador a una operación de detalle y su subordinación absoluta al capitalista, grita y se indigna cuando se habla de intervención, de reglamentación, de organización regular de la producción! Denuncia toda tentativa de este género como un ataque contra los derechos de la propiedad y de la libertad. "¿Queréis, pues, convertir la sociedad en una fábrica?", vociferan entonces esos partidarios entusiastas del sistema de fábrica. Por lo visto, el sistema de las fábricas solo es bueno para los proletarios. Caracterizan la sociedad burguesa la anarquía en la división social y el despotismo en la división manufacturera del trabajo.

Mientras que la división social del trabajo, con o sin cambio de mercancías, pertenece a las formas económicas de las sociedades más diversas, la división manufacturera es una creación especial del sistema de producción capitalista.

V. Carácter capitalista de la manufactura

Con la manufactura y la división del trabajo, el número mínimo de obreros que un capitalista debe emplear le es impuesto por la división del trabajo establecido. Para obtener las ventajas de una división mayor necesita aumentar su personal, y ya hemos visto que el aumento debe recaer al mismo tiempo, según determinadas proporciones, sobre todos los grupos del taller. Este acrecentamiento de la parte consagrada a la compra de fuerzas de trabajo, es decir de la parte variable, necesita, como es natural, el aumento de la parte constante, medios de producción, y sobre todo, de las materias primas. La manufactura aumenta, por lo tanto, el mínimo de dinero indispensable al capitalista.

La manufactura revoluciona totalmente el sistema de trabajo individual la manufactura, y ataca en su raíz a la fuerza de trabajo. Perjudica al trabajador y hace de él algo monstruoso, activando el desarrollo artificial de su destreza de detalle, en perjuicio de su desarrollo general. El obrero queda convertido en resorte automático de una operación exclusiva. Si adquiere destreza, en detrimento de su inteligencia, los conocimientos, el desarrollo intelectual, que desaparecen en él, se concentran en otros como un poder que lo domina, poder alistado al servicio del capital.

En un principio, el obrero vende su fuerza de trabajo al capital, solo porque le faltan los medios materiales de producción. Desde el momento que en lugar de poseer todo un oficio, de saber ejecutar las diversas operaciones para la producción de una obra, tiene el obrero necesidad de la cooperación de mayor o menor número de compañeros para que la única función de detalle que es capaz de realizar sea eficaz; cuando, en una palabra, es solo un accesorio que aislado no tiene utilidad, no puede obtener servicio formal de su fuerza de trabajo si no la vende. Para funcionar necesita un medio social que sólo existe en el taller del capitalista.

La cooperación fundada en la división del trabajo, es decir, en la manufactura, es en sus principios una operación espontánea e inconsciente. En cuanto adquiere alguna consistencia y base suficientemente amplia, llega a ser la forma reconocida y metódica de la producción capitalista.

La división de trabajo, que se desenvuelve experimentalmente, es tan sólo un método particular de aumentar el rendimiento del capital a expensas del trabajador. Al aumentar las fuerzas productivas del trabajo, crea circunstancias nuevas que aseguran la dominación del capital sobre el trabajo. Se presenta, pues, como un progreso histórico, período necesario en la formación económica de la sociedad y como medio civilizado y refinado de explotar.

En tanto que la forma dominante del sistema de producción capitalista es la manufactura, la realización de las tendencias dominadoras del capital encuentra obstáculos, sin embargo. La habilidad en el oficio sigue siendo, a pesar de todo, la base de la manufactura; los obreros hábiles son los más numerosos y no se puede prescindir de ellos; tienen, por consiguiente, cierta fuerza de resistencia; el capital tiene que luchar constantemente contra su insubordinación.

Capítulo XIII
Maquinismo y gran industria

I. Desarrollo del maquinismo

Como todo desarrollo de la fuerza productiva del trabajo, el empleo capitalista de las máquinas solo tiende a disminuir el precio de las mercancías, y por consiguiente, a aminorar la parte de la jornada en que el obrero trabaja para sí mismo, a fin de prolongar la otra parte en que trabaja para el capitalista; es, como la manufactura, un método particular para fabricar plusvalía relativa.

La fuerza de trabajo en la manufactura y el instrumento de trabajo en la producción mecánica son los puntos de partida de la revolución industrial. Por consiguiente, es necesario estudiar de qué modo el instrumento de trabajo se ha convertido de utensilio en máquina, y precisar así la diferencia que existe entre la máquina y el instrumento manual.

Todo mecanismo desarrollado se compone de tres partes esencialmente distintas: motor, transmisión y máquina-utensilio.

El motor da el impulso a todo el mecanismo. Engendra su propia fuerza de movimiento, como la máquina de vapor, o recibe el impulso de una fuerza natural exterior, como lo recibe la rueda hidráulica de un salto de agua y el aspa de un molino de viento de las corrientes de aire.

La transmisión, compuesta de volantes, correas, poleas, etc., lo distribuye, lo cambia de forma si es necesario y lo transmite a la máquina de operación, a la máquina-utensilio. El motor y la transmisión existen solo, en efecto, para comunicar a la máquina-utensilio el movimiento que la hace actuar sobre el objeto de trabajo y cambiar su forma.

En la máquina-utensilio encontramos en grande, aunque bajo formas modificadas, los aparatos e instrumentos que emplea el artesano o el obrero manufacturero; pero de instrumentos manuales del hombre se han convertido en instrumentos mecánicos de una máquina. La máquina-utensilio es, por lo tanto, un mecanismo que, recibiendo el movimiento conveniente, ejecuta con sus instrumentos las mismas operaciones que el trabajador ejecutaba antes con instrumentos semejantes.

Desde que el instrumento, fuera ya de la mano del hombre, es manejado por un mecanismo, la máquina-utensilio reemplaza a la simple herramienta y realiza una revolución, aun cuando el hombre continúe impulsándola sirviendo de motor. Porque el número de utensilios que el hombre puede manejar al mismo tiempo está limitado por el número de sus propios órganos: si el hombre sólo posee dos manos para tener agujas, la máquina de hacer medias, que es movida por un hombre, hace puntos con millares de agujas. El número de utensilios o herramientas que una sola máquina pone a la vez en actividad se ha emancipado, por lo tanto, del límite orgánico que no podía traspasar el utensilio manual.

Hay instrumentos que muestran claramente el doble papel del obrero como simple motor y como ejecutor de la mano de obra propiamente dicha. Fijémonos, como ejemplo, en el torno: el pie obra sobre el pedal como motor, en tanto que las manos hilan trabajando en el huso. De esta última parte del instrumento, órgano de la operación manual, se apodera en primer término la revolución industrial, dejando al hombre el papel puramente mecánico de motor, al mismo tiempo que la nueva tarea de vigilar la máquina.

Esta última, punto de partida de la revolución industrial, reemplaza, pues, al operario que maneja una herramienta, con un mecanismo que trabaja a la vez con muchos utensilios semejantes y que recibe el impulso de una fuerza única, sea cualquiera la forma de esta fuerza. Esta máquina-utensilio no es, sin embargo, más que él elemento simple de la producción mecánica.

Al llegar a cierto punto, solo es posible aumentar las dimensiones de la máquina de operación y el número de sus utensilios cuando se dispone de una fuerza impulsiva superior a la del hombre, sin contar con que el hombre es un agente muy imperfecto cuando se trata de producir un movimiento continuo y uniforme. Do este modo, al ser sustituido el utensilio por una máquina movida por el hombre, se hizo preciso reemplazar enseguida al hombre en el papel de motor por otras fuerzas naturales.

Se recurrió al caballo, al agua y al viento; pero únicamente en la máquina de vapor de Watt se encontró un motor capaz de engendrar por sí mismo su propia fuerza motriz consumiendo agua y carbón, y cuyo ilimitado grado de potencia es regulado perfectamente por el hombre.

Además, al no ser indispensable que este motor funcione en los lugares especiales donde se encuentra la fuerza motriz natural, como ocurre con el agua, puede transportarse e instalarse allí donde se reclame su acción.

Emancipado ya el motor de los límites de la fuerza humana, la máquina-utensilio, que inauguró la revolución industrial, desciende a la categoría de simple órgano del mecanismo de operación. Un solo motor puede poner en movimiento muchas máquinas utensilios. Entonces, el conjunto del mecanismo productivo presenta dos formas distintas: o la cooperación de muchas maquinas semejantes, como por ejemplo en el tejido, o una combinación de máquinas diferentes, como ocurre en la fábrica de hilados.

En el caso primero, el producto es fabricado por completo en la misma máquina-utensilio, que ejecuta todas las operaciones. La forma propia del taller fundado en el empleo de las máquinas, la fábrica, se presenta en primer término como una aglomeración de máquinas-utensilios de la misma especie que a la vez funcionan en el mismo local. Así, una fábrica de tejidos está formada por la reunión de muchos telares mecánicos. Pero existe aquí una verdadera unidad técnica en cuanto estas numerosas máquinas-utensilios reciben uniformemente su impulso de un motor común. Así como forman los órganos de una máquina-utensilio numerosos utensilios, del mismo modo numerosas máquinas-utensilios forman otros tantos órganos semejantes de un mismo mecanismo motor.

En el caso segundo, cuando el objeto de trabajo tiene que recorrer una serie de transformaciones graduales, el sistema de mecanismo realiza estas transformaciones merced a máquinas diferentes, aunque combinadas unas con otras. La cooperación por división del trabajo, que caracteriza a la manufactura, surge también aquí como combinación de máquinas de operación fraccionaria. No obstante, se manifiesta inmediatamente una diferencia esencial: la división manufacturera del trabajo debe tener en cuenta los límites de las fuerzas humanas, y únicamente puede establecerse con arreglo a la posibilidad manual de las diversas operaciones parciales; por el contrario, la producción mecánica, emancipada de los límites de las fuerzas humanas, funda la división en muchas operaciones de un acto de producción, en el análisis de los principios constitutivos y de los estados sucesivos de este acto, en tanto que la cuestión de ejecución se resuelve por medio de la mecánica, etc. Así como en la manufactura la cooperación inmediata de los obreros encargados de operaciones parciales exige un número proporcional y determinado de obreros en cada grupo, del mismo modo, en la combinación de máquinas diferentes, la ocupación continua de unas máquinas parciales por otras, suministrando cada una a la que la sigue el objeto de su trabajo, crea una relación determinada entre su número, su dimensión, su velocidad y el número de obreros que debe emplearse en cada categoría.

Cualquiera que sea su forma, el sistema de máquinas-utensilios que marchan solas bajo el impulso recibido por transmisión de un motor central que engendra su propia fuerza motriz es la expresión más desarrollada del maquinismo productivo. La máquina aislada ha sido sustituida por un monstruo mecánico cuyos gigantescos miembros llenan edificios enteros.

Desarrollo de la gran industria

La división manufacturera del trabajo dio origen al taller de construcción, donde se fabricaban los instrumentos de trabajo y los aparatos mecánicos ya empleados en algunas manufacturas. Este taller, con sus obreros, hábiles mecánicos, permitió aplicar los grandes inventos, y en él se construyeron las máquinas. Mientras se iban multiplicando los inventos y los pedidos de máquinas, su construcción se dividió en ramos variados e independientes, desarrollándose en cada uno de ellos la división del trabajo. Históricamente, la base técnica de la gran industria es la manufactura.

Las máquinas suministradas por la manufactura hacen que esta sea reemplazada por la gran industria. Pero cuando se extienden, la gran industria modifica la construcción de las máquinas, que es su base técnica, y la subordina a su nuevo principio, el empleo de las máquinas.

Así como la máquina-utensilio es mezquina mientras el hombre la mueve, y de la misma manera que el sistema mecánico progresa con lentitud, en tanto que las fuerzas motoras tradicionales, animal, viento y aun agua, no son reemplazadas por el vapor, del mismo modo la gran industria marcha lentamente, mientras que la máquina debe su existencia a la fuerza y a la habilidad humanas y depende de la fuerza muscular, del golpe de vista y de la destreza manual del obrero.

Pero no es esto todo. La transformación del sistema de producción en un ramo de la industria entraña una transformación en otro. Los medios de transporte, de comunicación, insuficientes para el aumento de producción, tuvieron que adaptarse a las exigencias de la gran industria (caminos de hierro, paquebotes, trasatlánticos). Para las enormes masas de hierro que por efecto de esto fue preciso preparar se necesitaron monstruosas máquinas, cuya creación era imposible para el trabajo manufacturero.

Se vio la gran industria en la necesidad de dirigirse a su medio característico de producción, a la misma máquina, para producir otras máquinas; así se creó una base técnica en armonía con su principio.

Con la máquina de vapor se tenía ya un motor susceptible de cualquier grado de potencia; pero para conseguir fabricar máquinas con máquinas se necesitaba producir mecánicamente las formas perfectas geométricas, tales como el círculo, el cono, la esfera, que exigen ciertas partes de las máquinas. Este problema se resolvió, a principios de este siglo, con la invención del charriot en el torno, que poco después pudo moverse por sí solo; este accesorio del torno permite producir las formas geométricas que se deseen, con un grado de exactitud, facilidad y rapidez que la experiencia acumulada nunca consigue dar a la mano del obrero más hábil.

La gran industria, que puede desde este momento entenderse libremente, hace del carácter cooperativo del trabajo una necesidad técnica impuesta por la naturaleza misma de su medio; crea un organismo de producción que el obrero encuentra en el taller como condición material ya dispuesta de su trabajo. Se presenta el capital ante él bajo una forma nueva y mucho más temible, la de un autómata monstruoso, a cuyo lado es casi nula la fuerza del obrero individual.

II. Valor transmitido por la máquina al producto

Ya hemos visto que las fuerzas productivas que de la cooperación y de la división del trabajo resultan nada cuestan al capital. Estas son las fuerzas naturales físicas apropiadas para la producción, tales como el agua, el vapor, etc.; pero hacen falta ciertos aparatos preparados por el hombre para utilizarlas: para explotar la fuerza motriz del agua se necesita una rueda hidráulica; para explotar la elasticidad del vapor es necesaria una máquina.

Si bien es evidente desde luego que la industria mecánica acrecienta de un modo maravilloso la productividad del trabajo, surge la duda de si el empleo de las máquinas economiza más trabajo del que cuestan su construcción y mantenimiento.

Como cualquier otro elemento del capital constante, que es la parte adelantada en medios de producción, la máquina no produce valor, y únicamente transmite el suyo al artículo que fabrica. Pero la máquina, ese medio de trabajo de la gran industria, es muy costosa comparada con los medios de trabajo del oficio y de la manufactura.

Aunque la máquina es utilizada siempre por completo para la creación de un producto, es decir, como elemento de producción, es consumida solamente por fracciones para la formación del valor, esto es, como elemento de valor. En efecto, una vez creado el producto, la máquina subsiste aún; toda ella ha servido para crearlo, pero no desaparece en esa creación, sino que continúa en disposición de volver a empezar para un nuevo producto. Nunca da más valor del que su desgaste la hace perder por término medio. Existe, por lo tanto, una gran diferencia entre el valor de la máquina y el valor que transmite a su producto. Como una máquina funciona durante prolongados períodos de trabajo y su desgaste y consumo diarios se reparten entre inmensas cantidades de productos, cada uno de sus productos absorbe sólo una pequeñísima porción de su valor, y tanto menos cuanto más productiva es la máquina.

La magnitud del valor transmitido, dada la proporción en que la máquina se gasta y transmite valor al producto, depende del valor primitivo de la máquina. Cuanto menos trabajo contiene su valor, menor es, y menor es también el que añade al producto.

Es evidente que hay un simple cambio de lugar de trabajo. Si se ha gastado en la producción de una máquina tanto tiempo de trabajo como economiza su uso, no disminuye la cantidad total de trabajo que exige la producción de una mercancía, y por lo tanto, no baja el valor de esta. Pero el que la compra de una máquina cueste tanto como la compra de las fuerzas de trabajo que reemplaza, no es obstáculo para que disminuya el valor transmitido al producto, pues en este caso la máquina reemplaza más tiempo de trabajo del que representa ella misma. En efecto, el precio de la máquina expresa su valor, esto es, equivale a todo el tiempo de trabajo contenido en ella, cualquiera que sea la división que de este tiempo se haga en el trabajo necesario y sobretrabajo, en tanto que el mismo precio pagado a los obreros a quienes reemplaza no es igual a todo el tiempo de trabajo que suministran; solamente equivale a una parte de este tiempo, a su tiempo de trabajo necesario.

Si se considera exclusivamente como medio de hacer el producto más barato, el empleo de las máquinas encuentra un límite: es preciso que el tiempo de trabajo invertido en su producción sea menor que el tiempo de trabajo suprimido por su uso.

Para el empleo de las máquinas, el capitalista encuentra un límite más reducido todavía. Lo que paga no es trabajo, sino fuerza de trabajo, y aun el salario real del trabajador es muchas veces inferior al valor de su fuerza. Así, el capitalista se guía en sus cálculos por la diferencia que hay entre el precio de las máquinas y el de las fuerzas de trabajo que esas pueden utilizar. Esta diferencia es la que determina el precio de costo y lo decide a emplear o no la máquina; en efecto, desde su punto de vista, la ganancia proviene, no del trabajo que emplea, sino de la disminución del trabajo que paga.

III. Trabajo de las mujeres y de los niños

La máquina, haciendo inútil el trabajo muscular, permite emplear obreros de poca fuerza física, pero cuyos miembros son tanto más flexibles cuanto menos desarrollo tienen. Cuando el capital se apoderó de la máquina, gritó: "¡Trabajo de mujeres, trabajo de niños!". La máquina, por ser un medio poderoso de aminorar los trabajos del hombre, se convirtió enseguida en medio de aumentar el número de asalariados. Todos los miembros de la familia, sin distinción de edad ni de sexo, se doblegaron bajo la vara del capital. El trabajo forzado de todos en provecho del capital usurpó el tiempo de los juegos de la niñez y reemplazó al trabajo libre, que tenía por objeto el sostenimiento de la familia.

El valor de la fuerza de trabajo pasó a estar determinado por los gastos de sostenimiento del obrero y de su familia. Esta fue lanzada al mercado y se distribuyó así entre muchas fuerzas el valor de una sola máquina. Puede suceder que las cuatro fuerzas, por ejemplo, que una familia obrera vende produzcan más que antes la sola fuerza de su jefe, pero también esas cuatro fuerzas representan cuatro jornadas de trabajo en lugar de una. Ahora es necesario que en vez de una sean cuatro las personas que suministren al capital, no solamente trabajo, sino también sobretrabajo, para que viva una sola familia. De este modo la máquina, al aumentar la materia humana explotable, eleva a la vez el grado de explotación.

El empleo capitalista del maquinismo desnaturaliza profundamente el contrato, cuya primera condición era que capitalista y obrero debían tratar entre sí como personas libres, comerciantes ambos, poseedor uno de dinero o de medios de producción y otro de fuerza de trabajo. Desde el momento que el capitalista compra mujeres y niños, todo esto queda destruido. El obrero vendía antes su propia fuerza de trabajo, de la cual podía disponer libremente; ahora se convierte en mercader de esclavos y vende mujer e hijos.

Por la anexión al personal de trabajo de una masa considerable de niños y mujeres, la máquina consiguió por fin romper la resistencia que el trabajador varón le oponía aún en la manufactura al despotismo del capital. Le ayudan en su obra de avasallamiento la facilidad aparente del trabajo con la máquina y el elemento, más manejable y más dócil, de las mujeres y de los niños.

Prolongación de la jornada de trabajo

La máquina crea condiciones nuevas, que permiten al capital soltar el freno a su tendencia constante de prolongar la jornada de trabajo y motivos nuevos que aumentan aún su sed de trabajo ajeno.

Cuanto más largo es el período durante el cual funciona la máquina, es mayor la masa de productos entre la cual se distribuye el valor que aquella transmite, y menor la parte que corresponde a cada mercancía. Pero el período de vida activa de la máquina está evidentemente determinado por la duración de la jornada de trabajo, multiplicada por el número de jornadas en que se la emplea.

El desgaste material de las máquinas se presenta bajo un doble aspecto. Se desgastan por su empleo y por su inacción, como una espada se oxida en la vaina. Sólo por el uso se gastan útilmente, mientras que se desgastan en balde por la falta de uso, y por esto se procura aminorar el tiempo de inacción, se las hace trabajar de día y de noche, si es posible.

Además, la máquina se halla sujeta a lo que podría llamarse su desgaste moral. Aunque se encuentre en muy buen estado, pierde su valor por la construcción de máquinas perfeccionadas que vienen a hacerle competencia. El peligro de su desgaste moral es tanto menor cuanto más corto es su período de desgaste físico, y es evidente que una máquina se desgasta tanto más pronto cuanto más larga es la jornada de trabajo.

La prolongación de la jornada permite aumentar la producción sin acrecentar la parte de capital representada por los edificios y las máquinas; por consiguiente, aumenta la plusvalía y disminuyen los gastos necesarios para obtenerla. El desarrollo de la producción mecánica, por otra parte, obliga a anticipar una parte cada vez mayor de capital en medios de trabajo, en máquinas, etc., y cada interrupción del tiempo de trabajo hace inútil, mientras dura, ese capital cada vez más considerable. La menor interrupción posible, una prolongación creciente de la jornada de trabajo, es, pues, lo que desea el capitalista.

Hemos visto que la suma de plusvalía está determinada por la magnitud del capital variable, es decir, por el número de obreros empleados a la vez y por el tipo de la plusvalía. Pero si la industria mecánica disminuye el tiempo de trabajo necesario para la reproducción del trabajo pagado y aumenta así el tipo de la plusvalía, únicamente obtiene este resultado sustituyendo los obreros por máquinas, es decir, disminuyendo el número de obreros ocupados por un capital determinado; transforma en máquinas, en capital constante que no produce plusvalía, una parte del capital que, gastada anteriormente en fuerza de trabajo, la producía. El empleo de las máquinas con el objeto de aumentar la plusvalía encierra, pues, una contradicción: aumenta el tipo de la plusvalía por la disminución del tiempo de trabajo necesario; disminuye la suma de la plusvalía por la disminución del número de obreros para un capital dado. Esta contradicción conduce instintivamente al capitalista a prolongar la jornada de trabajo todo lo posible, a fin de compensar la disminución del número proporcional de los obreros explotados con el aumento de su sobretrabajo, con el grado de su explotación.

Por consecuencia, la máquina en manos del capital crea motivos nuevos y poderosos para prolongar desmesuradamente la jornada de trabajo. Al estar bajo las órdenes del capital elementos de la clase obrera, mujeres y niños, antes respetados, y dejando disponibles los obreros reemplazados por la máquina, produce una población obrera superabundante, que se ve obligada a dejarse dictar la ley. De ahí el fenómeno económico de que la máquina, el medio más eficaz de aminorar el tiempo de trabajo, se convierta, merced a un extraño giro, en el más infalible medio de transformar la vida entera del trabajador y de su familia en tiempo consagrado a dar valor al capital.

El trabajo más intensificado

La prolongación exagerada del trabajo cotidiano que lleva consigo la máquina en manos capitalistas y el menoscabo de la clase obrera, que es su consecuencia, acaban por producir una reacción de la sociedad, y ésta, sintiéndose amenazada hasta en las raíces de su existencia, decreta límites legales a la jornada. Desde que la rebelión cada vez mayor de la clase obrera obligó al Estado a imponer una jornada normal, el capital procuró ganar, por un aumento de la cantidad de trabajo gastada en el mismo tiempo, lo que se le prohibía obtener por una multiplicación progresiva de las horas de trabajo.

El obrero se vio precisado a gastar, mediante un esfuerzo superior de su fuerza, más actividad en el mismo tiempo con la reducción legal de la jornada. Desde este momento se empieza a valuar la magnitud del trabajo de una manera doble, según su duración y según su grado de intensidad. ¿Cómo se obtiene en el mismo tiempo un gasto mayor de fuerza vital? ¿Cómo se hace más intenso el trabajo?

Este resultado de la reducción de la jornada emana de una ley evidente, según la cual la capacidad de acción de toda fuerza animal es tanto mayor cuanto más corto es el tiempo durante el cual obra. En ciertos límites se gana en eficacia lo que se pierde en duración.

En el momento que la legislación aminora la jornada de trabajo, la máquina en las manos del capitalista se convierte en medio sistemático de arrancar en cada instante más labor. Pero para que el maquinismo ejerza esta presión superior sobre sus servidores humanos, es indispensable perfeccionarlo continuamente. Cada perfeccionamiento del sistema mecánico se convierte en nuevo medio de explotación, a la vez que la reducción de la jornada obligó al capitalista a sacar de los medios de producción, tirantes hasta el extremo, el mayor efecto posible, si bien economizando gastos.

IV. La fábrica

Hemos estudiado el fundamento de la fábrica, el maquinismo, y la reacción inmediata de la industria mecánica sobre el trabajador. Examinemos ahora la fábrica.

La fábrica moderna puede ser representada como un enorme autómata que se compone de numerosos órganos mecánicos e intelectuales —máquinas y obreros— que obran conjuntamente y sin interrupción para producir un mismo objeto, estando subordinados a una potencia motriz que mueve por sí misma todos estos tiranos.

La habilidad en el manejo de la herramienta pasa del obrero a la máquina. Así, la gradación jerárquica de obreros dedicados a una especialidad que caracteriza la división manufacturera del trabajo es sustituida en la fábrica por la tendencia a hacer iguales los trabajos encomendados a los obreros auxiliares del maquinismo.

La distinción fundamental que se establece es la de trabajadores en las máquinas-utensilios (que comprende, entre ellos, a algunos obreros encargados de calentar la caldera de vapor) y peones, casi todos apenas salidos de la infancia, subordinados a los primeros. Al lado de estas categorías principales, se coloca un personal de ingenieros mecánicos, insignificante por su número, que vigilan el mecanismo general y atienden a las reparaciones necesarias.

El niño aprende con gran facilidad a adaptar sus movimientos al movimiento continuo y uniforme del instrumento mecánico. Si se tiene en cuenta la facilidad y rapidez con que se aprende a trabajar en la máquina, queda suprimida la necesidad de convertir cada género de trabajo en ocupación exclusiva, como en la manufactura. Si bien deben ser distribuidos los obreros entre las diversas máquinas, no es ya indispensable reducir a cada uno a la misma tarea. Como el movimiento de conjunto de la fábrica depende, no del obrero, sino de la máquina, la variación continua del personal no producirá interrupción alguna en la marcha del trabajo.

Aunque el sistema mecánico da fin, desde el punto de vista técnico, al antiguo sistema de división del trabajo, ésta se mantiene, no obstante, en la fábrica, primero como tradición legada por la manufactura, y en segundo lugar porque el capital se apodera de ella, para conservarla y reproducirla de una manera aun más repulsiva, como medio sistemático de explotación. La especialidad que consistía en manejar durante toda la vida una herramienta propia de una operación parcial se convierte en la especialidad de servir durante toda la vida a una máquina fraccionaria. Se abusa del mecanismo para transformar al obrero desde su más tierna infancia en parte de una máquina, que a su vez forma parte de otra; sujeto de este modo a una operación simple, sin aprender oficio alguno, no sirve para nada si se le separa de esta operación, ya por ser despedido, ya por un nuevo descubrimiento. Desde este momento queda consumada su dependencia absoluta de la fábrica, y por consiguiente, del capital.

El obrero se sirve de su utensilio en la manufactura y en el oficio; en la fábrica sirve a la máquina. En la manufactura, el movimiento del instrumento de trabajo parte de él; en la fábrica no hace más que seguir este movimiento. El medio de trabajo transformado en autómata, durante el curso del trabajo, se levanta ante el obrero en forma de capital, de trabajo muerto, que absorbe y domina su fuerza viva. Al mismo tiempo que el trabajo mecánico sobreexcita hasta el último grado el sistema nervioso, impide el ejercicio variado de los músculos y dificulta toda actividad libre del cuerpo y del espíritu.

La facilidad misma del trabajo llega a ser un tormento en el sentido de que la máquina no libra al obrero del trabajo, pero quita a este todo interés. La gran industria acaba de realizar la separación que ya hemos indicado entre el trabajo manual y las potencias intelectuales de la producción, transformada por ella en poderes del capital sobre el trabajo; de la ciencia hace una fuerza productiva independiente del trabajo, unida al sistema mecánico, y que, como este, es propiedad del amo.

Todas las fuerzas de que dispone el capital aseguran el dominio de este amo, a los ojos del cual su monopolio sobre las máquinas se confunde con la existencia de las máquinas.

La subordinación del obrero a la invariable regularidad del maquinismo en movimiento crea una disciplina de cuartel perfectamente organizada en el régimen de la fábrica. En ella toda libertad cesa de hecho y de derecho. El obrero come, bebe y duerme con arreglo a un mandato. La despótica campana lo obliga a interrumpir su descanso o sus comidas.

El fabricante es legislador absoluto; consigna en fórmulas a su antojo en su reglamento de fábrica su tiránica autoridad sobre los obreros. A los trabajadores que se quejan de la extravagante arbitrariedad del capitalista se les contesta: "Puesto que habéis aceptado voluntariamente el contrato, debéis someteros a él. La libreta de castigos del contramaestre sustituye al látigo del mayoral de esclavos. Todos estos castigos quedan reducidos a multas y retenciones del salario, de suerte que el capitalista saca más provecho todavía de la violación que del cumplimiento de sus leyes.

Pasemos por alto las condiciones materiales en que, por cuestión de economía, se realiza el trabajo de fábrica: elevación de la temperatura, atmósfera viciada y cargada de polvo de las primeras materias, insuficiencia del aire, ruido ensordecedor de las máquinas. Tampoco hablemos de los peligros que se corren entre un mecanismo terrible que os rodea por todas partes y suministra periódicamente su contingente de mutilaciones y de asesinatos industriales.

V. Lucha entre el trabajador y la máquina

En los orígenes del capital industrial nace la lucha entre el capitalista y el asalariado y se recrudece durante el período manufacturero; pero el trabajador no ataca al medio de trabajo hasta que se introduce la máquina. Entonces sí se revuelve contra esa forma particular del instrumento que se le presenta como su enemigo terrible.

Los obreros necesitan tiempo y experiencia antes de que, habiendo aprendido a distinguir entre la máquina y su empleo capitalista, dirijan sus ataques, no contra el medio material de producción, sino contra su modo social de explotación.

Sucede que el medio de trabajo se convierte enseguida en enemigo del trabajador, bajo la forma de máquina, y este antagonismo se manifiesta sobre todo cuando máquinas introducidas nuevamente vienen a hacer la guerra a los procedimientos ordinarios del oficio y de la manufactura.

Fúndase, por regla general, el sistema de la producción capitalista en que el trabajador vende su fuerza como mercancía. La división del trabajo reduce esta fuerza a ser tan sólo apta para manejar una herramienta de detalle; en el momento que esta herramienta es manejada por la máquina, pierde el obrero su utilidad, del mismo modo que una moneda desmonetizada no tiene curso. Cuando esa parte de la clase obrera que la máquina hace inútil así para las necesidades momentáneas de la explotación no sucumbe, o vegeta en una miseria que la mantiene en reserva siempre a disposición del capital, o invade otras profesiones, en las cuales rebaja el valor de la fuerza de trabajo.

El antagonismo entre la máquina y el obrero, aparece con efectos semejantes en la gran industria cuando hay perfeccionamiento del maquinismo. El objeto constante de estos perfeccionamientos es disminuir el trabajo manual para el mismo capital, que, además de que exige el empleo de menos obreros, sustituye cada vez más a los hábiles con los menos diestros, a los adultos con niños, con mujeres a los hombres; pero todos estos cambios ocasionan variaciones sensibles para el trabajador en el tipo del salario.

Y la máquina no obra tan solo como un competidor cuya fuerza superior está siempre dispuesta a hacer inútil al asalariado. El capital la emplea como potencia enemiga del obrero. Constituye el arma de guerra más eficaz para reprimir las huelgas, esas rebeliones periódicas del trabajo contra el despotismo del capital. En efecto, para vencer la resistencia de sus obreros en huelga, el capital ha sido conducido a algunas de las más importantes aplicaciones mecánicas, invenciones nuevas o perfeccionamientos del maquinismo existente.

VI. La teoría de la compensación

Sostienen algunos economistas burgueses que al hacer inútiles en un trabajo a obreros que estaban empleados en él, es decir, al despedirlos y al privarlos de su salario, deja disponible la máquina, por este mismo hecho, un capital destinado a emplearlos de nuevo en otra ocupación cualquiera; por lo tanto, dicen, hay compensación. A privar de víveres al obrero llaman estos señores dejar víveres disponibles para el obrero, como nuevo medio de emplearlo en otra industria. Como se ve, todo depende de la manera de expresarse.

La verdad es que los obreros que la máquina hace inútiles son arrojados del taller en el mercado del trabajo, donde van a aumentar las fuerzas ya disponibles para la explotación capitalista. Rechazados de un género de industria, seguramente pueden buscar ocupación en otra; pero si la encuentran, si pueden de nuevo tener medios de consumir los víveres que por su privación de salario habían quedado disponibles, es decir que no les estaba permitido comprar, es merced a un nuevo capital que se presenta en el mercado del trabajo, y no merced al capital que ya funciona, porque se ha transformado en máquinas. Además, las probabilidades de encontrar ocupación son muy pequeñas, porque fuera de su antigua ocupación, estos hombres deteriorados por la división del trabajo sirven poco y solo son admitidos en empleos inferiores, mal pagados, y que son solicitados por muchos por su misma sencillez.

No puede acusarse a la máquina de las miserias a que da lugar; no es culpa suya ni en nuestro medio social separa al obrero de sus medios de subsistencia. Allí donde se introduce hace el producto más barato y más abundante. Tanto antes como después de su introducción, la sociedad posee siempre, por lo menos, la misma cantidad de víveres para los trabajadores que tienen que cambiar de empleo, prescindiendo de la inmensa producción de su producto anual que los ociosos despilfarran.

Si la máquina se convierte en instrumento para esclavizar al hombre; si, medio infalible para aminorar el trabajo cotidiano, lo prolonga; si, varita mágica para aumentar la riqueza del productor, lo empobrece, es por estar en manos capitalistas. Estas contradicciones y estos antagonismos inseparables del empleo de las máquinas en el medio burgués provienen de su explotación capitalista, no de la máquina.

Aunque suprime un número mayor o menor de obreros en los oficios y manufacturas donde se introduce, puede ocasionar la máquina un aumento de empleos en otros ramos de producción.

Siendo mayor la cantidad de artículos fabricados con las máquinas, hacen falta más materias primas, y por consiguiente, es necesario que las industrias que suministran estas materias primas aumenten la cantidad de sus productos. Verdad es que este aumento puede resultar de la elevación de la intensidad o de la duración del trabajo, y no exclusivamente de la del número de obreros.

Las máquinas dan origen a una especie de obreros consagrados exclusivamente a su construcción, y es tanto más numerosa esta clase de obreros cuanto mayor es el número de máquinas. A medida que las máquinas hacen así aumentar la masa de materias primas, de instrumentos de trabajo, etcétera, las industrias que gastan estas primeras materias se dividen cada vez más en diferentes ramas y la división social del trabajo se desarrolla más poderosamente que bajo la acción de la manufactura propiamente dicha.

Aumenta la plusvalía por el sistema mecánico. Este aumento de riqueza en la clase capitalista, acompañada, como va siempre, de una disminución relativa de los trabajadores empleados en la producción de las mercancías de primera necesidad, origina, con las nuevas necesidades de lujo, nuevos medios de satisfacerlas: la producción de lujo aumenta, y con ella, en una proporción cada vez mayor, aumenta la clase sirviente, compuesta de lacayos, cocheros, cocineras, niñeras, etc.

El aumento de los medios de trabajo y subsistencia impulsa el desarrollo de las empresas de comunicación y de transporte; aparecen nuevas industrias y abren nuevas salidas al trabajo. Pero nada tienen de común con la llamada teoría de compensación todos estos aumentos de empleos.

VII. Los obreros alternativamente rechazados de la fábrica y atraídos por ella

Todo progreso del maquinismo disminuye el número de obreros necesarios y separa de la fábrica, por el momento, a una parte del personal. Ahora bien, cuando la explotación mecánica se introduce o se perfecciona en un ramo de la industria, los beneficios extraordinarios que no tarda en procurar a los que hacen la primera aplicación de ella dan muy pronto ocasión a un período de actividad febril. Estos beneficios atraen al capital, que busca colocaciones privilegiadas; se generaliza el nuevo procedimiento y aumenta entonces el número total de obreros desocupados, el establecimiento de nuevas fábricas y el engrandecimiento de las antiguas. El aumento de las fábricas, o lo que es lo mismo, una modificación cuantitativa en la industria mecánica, atrae, pues, a los obreros, en tanto que el perfeccionamiento de la maquinaria, o de otro modo, un cambio cualitativo, los separa.

Pero la elevación de la producción, consecuencia del mayor número de fábricas, va precedida de una superabundancia de productos en el mercado, que a su vez produce un decaimiento, una paralización de la producción. De este modo se convierte la vida de la industria en series de períodos de actividad media, de prosperidad, de exceso de producción y de inacción. Los obreros son atraídos y rechazados alternativamente, llevados de aquí para allá, y este movimiento va acompañado de cambios continuos en la edad, el sexo y la habilidad de los obreros empleados; la incertidumbre, las alzas y las bajas a que somete al trabajador la explotación mecánica acaban por ser su estado normal.

VIII. Supresión de la cooperación fundada en el oficio y en la división del trabajo

La explotación mecánica suprime la cooperación basada en el oficio; la máquina segadora, por ejemplo, reemplaza la cooperación de determinado número de segadores. Suprime igualmente la manufactura basada en la división del trabajo manual. Un ejemplo de esto último lo suministra la máquina de fabricar alfileres: es suficiente una mujer para vigilar cuatro máquinas que producen mucho más que antes un número considerable de hombres por medio de la división del trabajo.

Cuando sustituye a la cooperación o a la manufactura una máquina-utensilio, puede a su vez llegar a ser la base de un nuevo oficio; pero esta organización del oficio de un artesano sobre la base de la máquina solo sirve de transición al régimen de la fábrica, que aparece ordinariamente desde el momento en que el agua o el vapor reemplazan a los músculos humanos como fuerza motriz. La pequeña industria, sin embargo, puede funcionar momentáneamente con un motor mecánico, sirviéndose de pequeñas máquinas motrices particulares, como las máquinas de gas, o alquilando el vapor.

Reacción de la fábrica sobre la manufactura y el trabajo a domicilio

A medida que se va desarrollando la gran industria, se ve transformarse el carácter de todos los ramos de la industria. Al introducirse en las antiguas manufacturas, para una u otra operación, el maquinismo, desconcierta su organización, debida a una división consagrada del trabajo, y trastorna por completo la composición de su personal obrero, y funda en lo sucesivo la división del trabajo en el empleo de las mujeres, de los niños, de los obreros poco hábiles, en una palabra, en el empleo del trabajo barato.

Obra también el maquinismo de igual modo sobre la llamada industria domiciliaria; practíquese en la habitación misma del obrero o en pequeños talleres, en lo sucesivo sólo es una dependencia de la fábrica, de la manufactura o del almacén de mercancías. Por ejemplo, la confección de los artículos de vestir es en gran parte ejecutada por esos trabajadores llamados domiciliarios, no como antes para consumidores individuales, sino para fabricantes, dueños de almacenes, etc., que les suministran los elementos de trabajo encargándoles obra. Así, pues, además de los obreros de fábrica, los obreros manufactureros y los artesanos, a quienes concentra en grandes masas en vastos talleres, el capital posee un ejército industrial disperso en las grandes ciudades y en los campos.

La explotación de los trabajadores baratos se practica con más cinismo en la manufactura moderna que en la fábrica propiamente dicha, porque la sustitución de la fuerza muscular por máquinas, aplicada en esta última, falta en gran parte en la manufactura; esta explotación es más escandalosa todavía en la industria domiciliaria que en la manufactura, porque el poder de resistencia de los trabajadores es menor por efecto de su dispersión; porque entre el empresario y el obrero se introduce toda una cáfila de intermediarios, de voraces parásitos; porque el obrero es demasiado pobre para procurarse las condiciones de espacio, de aire, de luz, etc., más necesarias para su trabajo, y por último, porque en ellos llega a su máximo la competencia entre trabajadores.

Modificados estos antiguos sistemas de producción, desfigurados bajo la influencia de la gran industria, reproducen y aun exageran sus enormidades, hasta el día en que se ven obligados a desaparecer.

Paso de la manufactura moderna y del trabajo domiciliario a la gran industria

La disminución del precio de la fuerza de trabajo, solo por el empleo abusivo de mujeres y niños, por la brutal privación de las condiciones normales de vida y de actividad, por el exceso de trabajo y el abuso del trabajo de noche, encuentra, por último, obstáculos físicos que los límites de las fuerzas humanas no permiten franquear. También en ellos se detienen, por consiguiente, la reducción del precio de las mercancías que se obtienen por estos procedimientos y la explotación capitalista fundada sobre ellos. Si es cierto que se necesitan algunos años apara llegar a este punto, entonces es llegada la hora de la transformación del trabajo domiciliario y de la manufactura en fábrica.

La marcha de esta revolución industrial es más rápida por la regularización legal de la jornada, por la exclusión de los niños menores de cierta edad, etc., todo lo cual obliga al capitalista manufacturero a multiplicar el número de sus máquinas y a sustituir los músculos con el vapor como fuerza motriz. En lo que se refiere al trabajo domiciliario, su única arma en la guerra de competencia es la explotación ilimitada de las fuerzas de trabajo barato. Por lo tanto, está condenada a morir desde el momento en que la jornada esté limitada y restringido el trabajo de los niños.

IX. Contradicción entre la naturaleza de la gran industria y su forma capitalista

Así como el oficio y la manufactura son la base de la producción social, la subordinación del trabajador a una profesión exclusiva y el obstáculo que opone al desarrollo de sus aptitudes varias pueden considerarse como necesidades de la producción. Los diferentes ramos industriales forman otras tantas profesiones que están cerradas para todo aquel que se halla impuesto en los secretos y la rutina del oficio.

Hoy la ciencia modernísima de la tecnología, creada por la gran industria, enseña esos secretos, describe los diversos procedimientos industriales, los analiza, reduce su práctica a algunas formas fundamentales del movimiento mecánico y averigua los perfeccionamientos de que son susceptibles esos procedimientos. La industria moderna no considera y no trata nunca como definitivo el modo actual de un procedimiento.

En tanto que el mantenimiento de su modo consagrado de producción era la primera condición de existencia de todas las antiguas clases industriales, al modificar constantemente los instrumentos de trabajo, la burguesía modifica por esta misma razón, de una manera continua, las relaciones de la producción y todas las relaciones sociales en su conjunto que tienen por base la forma de la producción material. Su base es, pues, revolucionaria, en tanto que la de todos los sistemas pasados de producción era esencialmente conservadora.

Si la naturaleza misma de la gran industria necesita el cambio continuo en el trabajo, la frecuente transformación de las funciones, y por otra parte, la movilidad del trabajador en su forma capitalista reproduce la antigua división del trabajo más odiosamente todavía. Si el obrero estaba encadenado durante su vida a una operación de detalle, hace de él el accesorio de una máquina parcial. Sabemos que esta absoluta contradicción entre las necesidades técnicas de la gran industria y los caracteres sociales que reviste bajo el régimen capitalista concluye por destruir todas las garantías de vida del trabajador, amenazado siempre, según hemos visto, de verse privado de los medios de subsistencia a la vez que del medio de trabajo y de quedar inútil por la supresión de su función particular. Este antagonismo da origen, como hemos visto también en el párrafo V de este capítulo, a la monstruosidad de un ejército industrial de reserva que por la miseria está a disposición de la demanda capitalista; conduce, además, a las sangrías periódicas de la clase obrera, al más desenfrenado despilfarro de las fuerzas de trabajo y a los estragos que causa la anarquía social, que hace de cada progreso industrial una calamidad pública para la clase obrera.

La fábrica y la instrucción

No obstante los obstáculos que encuentra la variación en el trabajo bajo el régimen capitalista, las catástrofes mismas que ocasiona la gran industria imponen la necesidad de reconocer el trabajo variado, y por consiguiente, el mayor desarrollo posible de las diversas aptitudes del trabajador como una ley de la producción moderna, siendo necesario a toda costa que las circunstancias se adapten al ejercicio normal de esta ley: es esta una cuestión de vital importancia. La gran industria, en efecto, obliga a la sociedad, bajo pena de muerte, a reemplazar al individuo fraccionado, sobre el cual pesa una función productiva de detalle, por el individuo completo, que sabe hacer frente a las más diversas exigencias del trabajo y que en funciones alternativas no hace más que dar libre curso a sus diferentes capacidades naturales o adquiridas.

La burguesía, que al crear para sus hijos las escuelas especiales obedecía tan sólo a las tendencias íntimas de la producción moderna, únicamente ha concedido a los proletarios una sombra de enseñanza profesional. Pero si la legislación se ha visto en la necesidad de combinar la instrucción elemental, aunque sea mezquina, con el trabajo industrial, la inevitable conquista del poder político por la clase obrera introducirá en las escuelas públicas la enseñanza de la tecnología teórica y práctica. El trabajo manual productivo irá unido, en la educación del porvenir, a la instrucción y a la gimnástica para todos los jóvenes de ambos sexos que pasen de cierta edad, y a los ejercicios militares para los varones; este es el único método para formar seres humanos completos.

Es evidente que el desarrollo de los elementos nuevos, que llegará por último a suprimir la antigua división del trabajo, en la cual cada obrero está consagrado a una operación parcial, se halla en visible contradicción con el sistema industrial capitalista y con el medio económico en que coloca al obrero; pero el único camino por el que un sistema de producción y la organización social correspondiente marchan a su ruina y renovación es el desenvolvimiento histórico de sus contradicciones y antagonismos.

¡Zapatero, a tus zapatos! Esta frase, última expresión de la sensatez durante el período del oficio y de la manufactura, pasa a ser una flacura el día en que el relojero Watt inventa la máquina de vapor, cl barbero Arkwright el hilar continuo y el platero Fulton el barco de vapor.

La fábrica y la familia

Los legisladores, dado la vergonzosa explotación del trabajo de los niños, se han visto en la necesidad de intervenir, poniendo coto, no únicamente a los derechos señoriales del capital, sino también a la autoridad de los padres. Al ver la torpe crueldad de estos, el legislador, aunque afecto al capital, se ha visto en la precisión de preservar a las generaciones venideras de una decadencia prematura; los representantes de las clases que dominan han tenido necesidad de dictar medidas contra los excesos de la explotación capitalista. ¿Hay algo que pueda caracterizar mejor este sistema de producción como la necesidad de esas medidas?

Lo que ha creado la explotación de la niñez no es el abuso de la autoridad paterna; antes al contrario, la explotación capitalista es la que ha hecho que esa autoridad degenere en abuso; la intervención de la ley es la confesión oficial de que la gran industria ha hecho una fatalidad económica de la explotación de las mujeres y niños por el capital, que ha destruido la familia obrera de otras épocas al descomponer el hogar doméstico; es la confesión de que la gran industria ha convertido la autoridad paterna en dependencia del mecanismo social, destinada a hacer suministrar directa o indirectamente niños al capitalista por el proletario, que bajo pena de muerte tiene que desempeñar su papel de abastecedor y de mercader de esclavos. La legislación solo atiende, pues, a impedir los excesos de este sistema de esclavitud.

Aunque parezca terrible y desagradable en el medio actual la disolución de los antiguos lazos de la familia, la gran industria, por la importancia decisiva que concede a las mujeres y a los niños fuera del círculo doméstico, en la producción socialmente organizada, no por eso deja de crear la nueva base económica sobre la que se ha de constituir una forma superior de familia y de relaciones entre los sexos. Tan absurdo es considerar como absoluta y definitiva la actual constitución de la familia, como sus constituciones oriental, griega y romana. La misma composición del trabajador colectivo por individuos de los dos sexos y de todas edades, fuente de corrupción y de esclavitud bajo la dominación capitalista, contiene los gérmenes de una próxima evolución social. En la Historia, como en la Naturaleza, la putrefacción es el laboratorio de la vida.

Consecuencias revolucionarias de la legislación de fábrica

Si bien imponen a cada establecimiento industrial, considerado aisladamente, la uniformidad y la regularidad las leyes sobre la limitación de la jornada de trabajo, que han llegado a ser indispensables para proteger moral y físicamente a la clase obrera, aumentan la anarquía y las crisis de la producción social por el enérgico impulso que dan al desarrollo mecánico; exageran la intensidad del trabajo y aumentan la competencia entre el obrero y la máquina; apresuran la transformación del trabajo organizado en grande y la concentración de capitales.

Destruyendo la pequeña industria y el trabajo domiciliario, suprime el último refugio de una masa de trabajadores, a quienes priva de sus medios de subsistencia, y que quedan por tal causa a disposición del capital para el día en que convenga a este admitirlos a trabajar; suprime, por lo tanto, la válvula de seguridad de todo el mecanismo social. Al mismo tiempo generaliza la lucha directa entablada contra la dominación del capital, y desarrolla las fuerzas destructoras de la antigua sociedad, a la vez que los elementos de formación de una nueva.

X. Gran industria y agricultura

Si se halla en gran parte exento de los inconvenientes y peligros físicos a que expone al obrero de fábrica el empleo de las máquinas en la agricultura, su tendencia a suprimir, a quitar de su puesto al trabajador, se realiza en ella con mayor fuerza.

En el dominio de la agricultura obra la gran industria más revolucionariamente que ningún otro punto, porque hace que desaparezca el labrador, baluarte de la sociedad antigua, y lo sustituye con el asalariado. Las necesidades de transformación social y la lucha de clases quedan así reducidas en los campos al mismo nivel que en las ciudades

La transformación capitalista de la producción, tanto en la agricultura como en la manufactura, parece ser tan sólo el suplicio del trabajador; el medio de trabajo, un medio de subyugar, de explotar y empobrecer al trabajador; y la combinación social del trabajo, la opresión combinada de su independencia individual. Pero la disgregación de los trabajadores agrícolas en vastos espacios quebranta su fuerza de resistencia, en tanto que la concentración aumenta la de los obreros de las ciudades.

Al igual que en la industria de las ciudades, en la agricultura moderna el aumento de productividad y el rendimiento superior del trabajo se obtienen a costa de la destrucción de la fuerza de trabajo. Cada progreso de la agricultura capitalista, es además un adelanto, no solamente en el arte de explotar al trabajador, sino también en el de agotar el suelo; cada progreso en el arte de hacerlo más fértil por un tiempo dado, un adelanto en la ruina de sus principios de fertilidad.

La producción capitalista desarrolla solo el sistema de producción social, agotando a la vez las dos fuentes de toda riqueza: la tierra y el trabajador.

VI
El salario

Capítulo XVII
Transformación del valor o del precio de la fuerza de trabajo en salario

El salario es el precio, no del trabajo, sino de la fuerza de trabajo

Si se examina superficialmente la sociedad burguesa, parece que en ella el salario del trabajador es la retribución del trabajo, es decir que cierta cantidad determinada de trabajo se paga con cierta cantidad de dinero. El trabajo está, pues, considerado como una mercancía cuyos precios corrientes oscilan, aumentando o disminuyendo su valor.

Pero ¿qué es el valor? El valor representa el trabajo social gastado en la producción de una mercancía. Y ¿cómo puede medirse la cantidad de valor de una mercancía? Por la cantidad de trabajo que contiene. ¿Cómo se determinará, por ejemplo, el valor de un trabajo de 12 horas? Por las 12 horas de trabajo que contiene, lo cual carece evidentemente de sentido.

El trabajo debería, en todo caso, para ser llevado y vendido en el mercado a título de mercancía, existir de antemano. Pero si pudiese prestarle el trabajador una existencia material, separada e independiente de su persona, vendería entonces, no trabajo, sino mercancía.

Es el trabajador y no el trabajo quien se presenta en el mercado directamente al capitalista. Lo que aquel vende es su propio individuo, su fuerza de trabajo. Desde el instante en que empieza a poner su fuerza en actividad, es decir, desde que empieza a trabajar, desde que existe su trabajo, este ha dejado ya de pertenecerle y no puede ser vendido por él. El trabajo es la sustancia y la medida de los valores, pero por sí mismo no tiene valor alguno. La expresión "valor del trabajo" es una expresión inexacta, que tiene origen en las formas aparentes de las relaciones de producción.

La economía política clásica se preguntó cómo se había determinado el precio del trabajo, una vez admitido este error. Reconoció, desde luego, que lo mismo respecto al trabajo que a cualquiera otra mercancía, la relación entre la oferta y la demanda no significa otra cosa sino las oscilaciones del precio de mercado bajo cierto tipo. En cuanto se equilibran la oferta y la demanda, cesan las variaciones de precio que habían ocasionado, pero cesa también en aquel punto el efecto de la oferta y de la demanda. En su estado de equilibrio, el precio del trabajo no depende ya de su acción; ¿de qué depende, pues? Tanto para el trabajo como para toda otra mercancía, este precio no puede ser más que su valor expresado en dinero: este valor lo determinó la economía política por el valor de las subsistencias necesarias para el sostenimiento y reproducción del trabajador. Indudablemente, de este modo substituyó el objeto aparente de sus investigaciones, el valor del trabajo, por el valor de la fuerza de trabajo, fuerza que únicamente existe en la persona del trabajador y se diferencia de su función, el trabajo, como una máquina se diferencia de sus operaciones. Pero la economía política clásica no se fijó en la confusión que se había introducido.

La forma salario oculta la relación verdadera entre capital y trabajo. Según todas las apariencias, lo que el capitalista paga es el valor de la utilidad que el obrero le produce, el valor del trabajo. El trabajador, además, no percibe su salario hasta después de haber entregado su trabajo. Ahora bien, el dinero, como medio de pago, no hace más que realizar con tardanza el valor o el precio del artículo producido, o sea, en el caso precedente, el valor o el precio de trabajo ejecutado. La sola experiencia de la vida práctica no hace resaltar la doble utilidad del trabajo: la propiedad de satisfacer una necesidad, propiedad que tiene de común con todas las mercancías, y la de crear valor, propiedad que le distingue de todas las mercancías, y que, por ser elemento que crea valor, le impide tenerlo por sí.

Examinemos una jornada de 12 horas que produce un valor de 6 marcos, y del cual la mitad es igual al valor cotidiano de la fuerza de trabajo. Confundiendo el valor de la fuerza con el valor de su función, con el trabajo que ejecuta, se obtiene esta fórmula: el trabajo de 12 horas tiene un valor de 3 marcos, se llega de este modo al resultado absurdo de que un trabajo que crea un valor de 6 marcos no vale más que tres. Pero esto no se ve en la sociedad capitalista. El valor de 3 marcos, para cuya producción son necesarias sólo 6 horas de trabajo, se presenta en ella como el valor de la jornada entera de trabajo. Parece que el obrero, al recibir un salario cotidiano de 3 marcos, recibe el valor íntegro de su trabajo, sucediendo esto precisamente porque el exceso del valor de su producto sobre el de su salario afecta la forma de una plusvalía de 3 marcos creada, no por el trabajo, sino por el capital.

Por lo tanto, la forma salario, o pago directo del trabajo, hace desaparecer todo vestigio de la división de la jornada en trabajo necesario y sobretrabajo, en trabajo pagado y en trabajo no pagado, de modo que se considera pagado todo el trabajo del obrero libre. El trabajo que el siervo ejecuta para sí y el que está, obligado a ejecutar para su señor son perfectamente diferentes uno de otro y tienen lugar en sitios diversos. En el sistema esclavista, aun la parte de la jornada en que el esclavo reemplaza el valor de sus subsistencias y en la cual trabaja realmente para sí, no parece sino que trabaja para su propietario; todo su trabajo reviste la apariencia de trabajo no pagado. Lo contrario sucede con el trabajo asalariado; aun el sobretrabajo o trabajo no pagado afecta la apariencia de trabajo pagado. La relación de propiedad oculta en la esclavitud el trabajo del esclavo para sí mismo; en el asalariado, la relación monetaria encubre el trabajo gratuito que el asalariado produce para su capitalista.

Ahora se comprende la inmensa importancia que tiene en la práctica este cambio de forma, el cual hace aparecer la retribución de la fuerza de trabajo como salario del trabajo, el precio de la fuerza como precio de su función. La forma aparente hace invisible la relación efectiva entre el capital y el trabajo; de esa forma aparente provienen todas las nociones jurídicas del asalariado y del capitalista, todas las mistificaciones de la producción capitalista, todas las ilusiones liberales y todas las glorificaciones justificativas de la economía política vulgar.

Capítulo XVIII
El salario a jornal

Reviste el salario formas muy variadas; examinaremos sus dos formas fundamentales: el salario a jornal y el salario a destajo.

El precio del trabajo

Como hemos visto, la venta de la fuerza de trabajo siempre se verifica por un período de tiempo determinado. El valor diario, semanal, etc., de la fuerza de trabajo se presenta bajo la forma aparente de salario a jornal, es decir, por días, por semanas, etc.

Hay que hacer distinción en el salario a jornal entre el importe total del salario diario, semanal, etc., y el precio del trabajo. Es evidente, en efecto, que, según la extensión de la jornada, el mismo salario diario, semanal, etc., puede representar muy diversos precios de trabajo. Se obtiene el precio medio de trabajo dividiendo el valor diario de la fuerza de trabajo. Si es el valor diario, por ejemplo, de 3 marcos y la jornada de trabajo de 12 horas, el precio de una hora es igual a 3 marcos divididos por 12, (25 céntimos). El precio de la hora así averiguado es la medida del precio del trabajo.

El precio del trabajo puede aumentar o disminuir, y el salario puede quedar invariable. Si, por ejemplo, la jornada es de 10 horas y el salario el mismo, de 3 marcos, la hora de trabajo se paga a 30 céntimos; si la jornada es de 15 horas, ya la hora solo se paga 20 céntimos. El salario, por el contrario, puede elevarse aunque el precio del trabajo no cambie o disminuya. Si la jornada media es de 10 horas y el valor diario de la fuerza de trabajo es de 3 marcos, el precio de la hora es de 30 céntimos; si, a consecuencia de un aumento de obra, el obrero trabaja 12 horas en lugar de 10, sin cambiar el precio del trabajo, el salario cotidiano se elevará a 360 marcos. En este último caso hay que advertir que, a pesar de la elevación del salario, la fuerza de trabajo se paga a menos de su valor, pues esta elevación no compensa el mayor desgaste de la fuerza resultante del aumento de trabajo. En general, dada la duración del trabajo diario o semanal, el salario cotidiano o semanal dependerá del precio del trabajo; dado el precio del trabajo, el salario por día o por semana dependerá de la duración del trabajo diario o semanal.

Paros parciales y reducción general de la jornada de trabajo

El precio de una hora de trabajo, medida del salario a jornal, hemos dicho ya que se obtiene dividiendo el valor diario de la fuerza de trabajo por el número de horas de la jornada ordinaria. Pero si el patron no da ocupación al obrero con regularidad durante ese número de horas, percibe este tan sólo una parte de su salario regular. He aquí, pues, el origen de los males que resultan para el obrero de una ocupación insuficiente, de un paro parcial.

Si, por ejemplo, el tiempo que ha servido de base para el cálculo del salario a jornal es de 12 horas y el obrero no está ocupado más que 6 u 8, su salario por horas, que multiplicado por 12 equivale al valor de sus subsistencias necesarias, desciende este valor indispensable desde que, a consecuencia de una reducción de ocupación, no se halla multiplicado sino por 6 o por 8, es decir, por un número inferior a 12.

No debe confundirse el efecto de esta insuficiencia de ocupación con su disminución, que resultaría de una rebaja general de la jornada de trabajo. En el caso primero, el precio ordinario del trabajo se calcula suponiendo que la jornada regular es de 12 horas, y si el obrero trabaja menos, ocho horas por ejemplo, no percibe lo suficiente; mientras que, en el segundo caso, el precio ordinario del trabajo se calcularía estableciendo que la jornada regular fuese de 8 horas, por ejemplo, y por consiguiente, el precio de la hora sería más elevado. Podría suceder que aun en ese caso el obrero no percibiese su salario regular; pero esto solo sucedería si estaba ocupado menos de 8 horas, en tanto que en él primer caso ocurre no estando ocupado 12 horas.

El bajo precio del trabajo y la prolongación de la jornada

Es costumbre en ciertos ramos de la industria en que domina el salario a jornal contar como regular una jornada de cierto número de horas, por ejemplo, 10. Comienza después el trabajo suplementario, el cual, tomando como tipo la hora de trabajo, está algo más remunerado. A causa de la inferioridad del precio del trabajo durante el tiempo reglamentario para obtener un salario suficiente, se verá obligado el obrero a trabajar durante el tiempo suplementario, que está menos mal pagado. Esto conduce a una prolongación de la jornada de trabajo, en provecho del capitalista. La limitación legal de la jornada de trabajo pone fin a esta canallada.

Ya hemos visto más arriba que, dado el precio del trabajo, el salario diario o semanal depende de la duración del trabajo suministrado. Resulta de esto que, mientras más inferior sea el precio del trabajo, debe ser más larga la jornada para que el obrero alcance un salario suficiente. Si es de 15 céntimos el precio de la hora de trabajo, el obrero debe trabajar 15 horas para obtener un salario diario de 225 marcos; si el precio de la hora de trabajo es de 25 céntimos, una jornada de 12 horas le basta para obtener un salario diario de 3 marcos. El precio inferior del trabajo, pues, hace forzosa la prolongación del tiempo de trabajo. Pero si esta prolongación de la jornada es el efecto natural del precio inferior del trabajo, puede ser también causa de una baja en el precio del trabajo, y por consecuencia, en el salario diario o semanal. Si, gracias a la prolongación de la jornada, un hombre ejecuta la tarea de dos, la oferta de trabajo aumenta, por más que no haya variado el número de obreros que hay en el mercado.

La competencia así creada entre los obreros permite al capitalista reducir el precio del trabajo, cuya reducción, como ya hemos visto, permite a su vez que prolongue aún más la jornada. El capitalista saca, por consiguiente, doble provecho de la disminución del precio corriente del trabajo y de su duración extraordinaria.

Sin embargo, esta facultad de disponer de una cantidad considerable de trabajo no pagado no tarda en convertirse en medio de competencia entre los mismos capitales. Para atraer el mayor número de compradores, rebajan el precio de venta de las mercancías que les salen a menos coste; este precio concluye por fijarse en una cantidad excesivamente pequeña, que desde ese momento forma la base normal de un miserable salario para los obreros de aquellos industriales.

Capítulo XIX
El salario a destajo

Esta forma del salario no altera en nada su naturaleza. A primera vista, el salario a destajo parece demostrar que se paga al obrero, no el valor de su fuerza, sino del trabajo ya realizado en el producto, y que el precio de este trabajo está determinado por la capacidad de ejecución del productor. En realidad, solo es una transformación del salario a jornal.

Vamos a suponer que la jornada ordinaria de trabajo es de 12 horas, 6 de trabajo necesario y 6 de sobretrabajo, 6 pagadas y 6 no pagadas, y que el valor producido es de 6 marcos. El producto de una hora de trabajo será, por lo tanto, de 50 céntimos. La experiencia ha establecido que trabajando un obrero con el grado medio de intensidad y de habilidad, y por consiguiente, empleando solo el tiempo de trabajo socialmente necesario para la producción de un artículo, entregue, en 12 horas, 12 de estos productos o fracciones de producto. Estas 12 porciones, deducidos los medios de producción que contienen, valen 6 marcos, y cada una de ellas vale 50 céntimos. El obrero recibe por cada fracción 25 céntimos, y gana de este modo 3 marcos en 12 horas, mientras que las mercancías, producto de 12 horas de trabajo, valen 6 marcos, deducidos los medios de producción consumidos.

Del mismo modo que en el sistema del salario a jornal es igual decir que el obrero trabaja 6 horas para sí y 6 para el capitalista, o que trabaja la mitad de cada hora para él y la otra mitad para el patrono, asimismo en este caso puede igualmente decirse que cada fracción de producto está mitad pagada y mitad no pagada, o que el precio de seis fracciones de producto no es otra cosa que un equivalente de la fuerza de trabajo, mientras que la plusvalía está contenida en las otras seis, gratuitamente suministradas por el obrero. El trabajo, en el salario a jornal, se mide por su duración inmediata; en el salario a destajo, por la cantidad de productos suministrados en un espacio de tiempo determinado; pero el valor de una jornada de trabajo está determinado en ambos casos por el valor diario de la fuerza de trabajo. El salario a destajo no es, pues, sino una forma modificada del salario a jornal.

Si aumenta la productividad del trabajo, si se duplica, por ejemplo, la cantidad de productos realizable en cierto tiempo, el salario a destajo bajará en la misma proporción, disminuirá una mitad, de suerte que el salario diario no variará absolutamente. De ambas maneras, lo que el capitalista paga no es el trabajo, sino la fuerza de trabajo. Tal forma de retribución puede ser más favorable que tal otra para el desarrollo de la producción capitalista, pero ninguna modifica la naturaleza del salario.

Particularidades que hacen de esta formada del salario la más conveniente para la producción capitalista

La obra, dentro de esta forma de salario, debe ser de una calidad media para que la fracción de producto se pague al precio estipulado. El salario a destajo, bajo este concepto, es un manantial inagotable de pretextos para tener parte del salario del obrero y privarlo de lo que le pertenece. Al mismo tiempo suministra al capitalista una medida exacta de la intensidad del trabajo. No se paga más tiempo de trabajo que el que contiene una masa de productos determinada de antemano y establecida experimentalmente. Se despide al obrero si el obrero no posee la capacidad media de ejecución; si no puede suministrar en su jornada el mínimo fijado, se le despide.

Así, aseguradas la calidad y la intensidad del trabajo por la forma misma del salario, se hace innecesaria una gran parte del trabajo de vigilancia. En esto se funda, no sólo el trabajo moderno domiciliario, sino todo un sistema de opresión y de explotación jerárquicamente constituido. Este sistema reviste dos formas fundamentales.

El salario a destajo, por una parte, facilita la intervención de parásitos entre el capitalista y el trabajador, o sea la contrata. La ganancia de los contratistas proviene exclusivamente de la diferencia que existe entre el precio del trabajo que paga el capitalista y la porción de este precio que asignan ellos al obrero. El salario a destajo, por otra parte, permite al capitalista ajustar en un tanto cada fracción de producto con un obrero principal, jefe de grupo o tanda, etc., el cual se encarga de buscar el personal necesario y de pagarlo por el precio estipulado. La explotación de los trabajadores por el capital se complica en este caso con una explotación del trabajador por el trabajador.

El interés personal con el salario a destajo impele al obrero a redoblar sus fuerzas todo lo posible, lo cual facilita al capitalista la elevación de la intensidad ordinaria del trabajo; el obrero está interesado igualmente en prolongar la jornada de trabajo, pues es el único modo de aumentar su salario diario o semanal. De aquí se origina una reacción semejante a la de que hemos hablado al final del apartado anterior.

Salvo raras excepciones, el salario a jornal supone la igualdad de remuneración para los obreros encargados de una misma tarea. El salario a destajo, en el cual el precio del tiempo de trabajo se mide por una cantidad determinada de producto, varía naturalmente según lo que la cantidad de producto suministrada en un tiempo dado exceda del mínimo establecido. En esta forma de salario, la diferencia de habilidad, de fuerza, de energía, de perseverancia entre los trabajadores individuales ocasiona grandes diferencias en sus ganancias respectivas.

Por lo demás, esto no altera en nada la relación general existente entre el capital y el salario del trabajador. Esas diferencias individuales; en primer lugar, se nivelan en el conjunto del taller. En segundo lugar, no está modificada en este segundo sistema de salario la proporción entre el salario y la plusvalía, pues al salario individual de cada obrero corresponde la masa de supervalía suministrada por él. El salario a destajo tiende por esto mismo a desarrollar el espíritu de independencia y de autonomía en los trabajadores; por una parte, y por otra, la competencia entre ellos. De aquí sigue una elevación de los salarios individuales sobre su nivel general, acompañada de un descenso de este mismo nivel. El salario a destajo, por último, permite al patrono aplicar el sistema ya indicado de no ocupar regularmente al obrero durante la jornada o durante la semana.

Demuestra todo esto que el salario a destajo es la forma de salario más conveniente al sistema de producción capitalista.

VII
ACUMULACIÓN DEL CAPITAL

Introducción

Circulación del capital

En el mercado, dentro del dominio de la circulación, se verifica la transformación de una cantidad de dinero en medios de producción y en fuerza de trabajo, que es la primera manifestación del movimiento del valor destinado a funcionar como capital.

La segunda manifestación del movimiento, el acto de producción, termina en cuanto los medios de producción se transforman en mercancías cuyo valor es mayor que el de los elementos que han contribuido a formarlos, esto es, contiene una plusvalía a más del dinero adelantado. Entonces es cuando las mercancías deben ser puestas en circulación. Es necesario venderlas, realizar su valor en dinero, para después transformar de nuevo este dinero en capital, y así sucesivamente. Este movimiento, pues, es el que constituye la circulación del capital.

Del estudio del mecanismo fundamental de la acumulación, primera condición de la acumulación es la de que el capitalista haya logrado vender sus mercancías y volver a transformar en capital la mayor parte del dinero así obtenido; es preciso que el capital haya circulado con regularidad, y vamos a suponer que así ha sido, en efecto.

El capitalista que produce la plusvalía, es decir, que arranca directamente al obrero trabajo no pagado, se la apropia el primero, pero no es él quien únicamente la disfruta. Se divide la plusvalía en diversas partes, que perciben diferentes categorías de personas bajo variadas formas, tales como beneficio industrial, interés, ganancia comercial, renta agrícola, etc. Pero esta participación no cambia ni la naturaleza de la plusvalía ni las condiciones por las cuales se convierte en origen de la acumulación. Cualquiera que sea la parte de plusvalía que el capitalista empresario retenga para sí, es siempre el primero que se la apropia por completo y el único que la transforma en capital; por consiguiente, podemos considerar al capitalista como representante de todos los que se reparten el botín.

El movimiento intermediario de la circulación y la división de la plusvalía en varias partes reviste formas diversas que obscurecen y complican el acto fundamental de la acumulación. Por lo tanto, y a fin de simplificar su análisis, es preciso apartarnos de todo lo que oculta el juego íntimo de su mecanismo y, desde el punto de vista de la producción, estudiar la acumulación.

Capítulo XXI
Reproducción simple

Cualquiera que sea la forma social de la producción, debe ser continua. Una sociedad no puede dejar de producir, como tampoco de consumir. Para continuar produciendo, está obligada a transformar continuamente una parte de sus productos en medios de producción, en elementos de nuevos productos. Para mantener su riqueza a la misma altura, en iguales circunstancias, necesita sustituir los medios de trabajo, las materias primas, las auxiliares, en una palabra, los medios de producción consumidos, por ejemplo, durante un año, por igual cantidad anual de artículos de la misma especie, o en otros términos es necesario que haya reproducción de la riqueza. Si afecta la forma capitalista la producción, igual forma afectará la reproducción. Desde el punto de vista de la primera, el acto de trabajo sirve entonces de auxiliar para crear plusvalía; desde el punto de vista de la segunda, sirve de medio para reproducir o perpetuar como capital, es decir, como valor que produce valor, la parte metálica adelantada.

La plusvalía, como aumento periódico del valor adelantado, adquiere la forma de una renta procedente del capital. Si el capitalista consume esta renta y la gasta en la misma medida que se va produciendo, únicamente habrá simple reproducción, dadas las mismas circunstancias, es decir, el capital continuará funcionando sin acrecentar. Sin embargo, las mismas operaciones repetidas por un capital en la misma escala le prestan ciertos caracteres, que vamos a examinar.

La parte del capital adelantada en salarios es solo una parte del trabajo efectuado por el trabajador

En primer lugar, examinemos la parte del capital adelantado en salarios, es decir, capital variable.

El capitalista, antes de comenzar a producir, compra una cantidad de fuerza de trabajo por un tiempo determinado, pero no la paga hasta que el obrero ha trabajado y añadido al producto el valor de su propia fuerza y una plusvalía. Además de esta plusvalía, que constituye el caudal de consumo del capitalista, el obrero ha producido, pues, ese caudal con su propia paga, que es el capital variable, antes de percibirlo bajo la forma de salario. Una parte del trabajo ejecutado por él la semana o el mes anteriores sirve para pagar su trabajo de hoy o del mes próximo. Esta parte de su producto, que vuelve convertida en salario al trabajador, se le paga en dinero; pero el dinero es solo el portador del valor de las mercancías, y en nada afecta al hecho de que el salario que el obrero percibe bajo la forma de adelanto del capitalista no es otra cosa que una parte de su propio trabajo ya realizado.

No obstante, antes de tomar nuevo impulso, este movimiento de producción ha debido tener un principio y durar cierto tiempo, durante el cual el obrero, no habiendo aún producido, no podía ser pagado con su propio producto, como tampoco mantenerse del aire. Por lo tanto, ¿no se deberá suponer que la primera vez que la clase capitalista se presentó en el mercado para comprar la fuerza de trabajo tenía ya acumulado, bien por sus propios esfuerzos o por sus ahorros, capitales que le permitieran adelantar las subsistencias del obrero en forma de moneda? Provisionalmente aceptamos esta solución, cuyo fundamento hemos de examinar en el capítulo sobre la acumulación primitiva.

Todo capital adelantado se transforma, más o menos pronto, en capital acumulado

Aun siendo así, la reproducción continua cambia muy pronto el primitivo carácter del conjunto del capital adelantado, compuesto de parte variable y parte constante.

Si 25 000 marcos de capital producen anualmente una plusvalía de 5000 marcos, que el capitalista consume, es evidente que, después de haberse repetido cinco veces este movimiento, la suma de la plusvalía consumida será igual a 5000 marcos multiplicados por cinco, es decir 25 000 marcos, o lo que es igual, el valor total del capital adelantado.

Si solo se consumiese la mitad de la plusvalía anual, por ejemplo, se obtendría el mismo resultado a los 10 años, en vez de ser a los 5, pues multiplicando la mitad de la plusvalía, que son 2500 marcos, por 10, se tiene la misma cantidad de 25 000 marcos. En general, dividiendo el capital adelantado por la entidad de plusvalía consumida al año, se halla el número de años al cabo de los cuales el capitalista ha consumido enteramente el capital primitivo, y por consiguiente, ha desaparecido.

Por lo tanto, después de cierto tiempo, el valor capital que pertenecía al capitalista se hace igual a la suma de plusvalía que ha adquirido éste gratuitamente durante ese tiempo, la suma de valor que ha adelantado iguala a la consumida. Es cierto que tiene siempre entre manos un capital cuya cantidad no ha variado. Pero cuando un hombre consume su hacienda por las deudas que contrae, el valor de ella solo representa el importe de sus deudas; de la misma manera, cuando el capitalista ha consumido el equivalente del capital que había adelantado, el valor de este capital no representa más que la suma de plusvalía monopolizada por él.

La reproducción simple basta, por consiguiente, para transformar más o menos tarde todo capital adelantado en capital acumulado o en plusvalía capitalizada. Aunque a su entrada en el dominio de la producción fuera adquirido por el trabajo personal del empresario, al cabo de cierto tiempo se convertiría en valor adquirido sin equivalente; sería la materialización del trabajo no pagado de otro.

Consumo productivo y consumo individual del trabajador

El trabajador hace un doble consumo. Por su trabajo consume en el acto de producción medios de producción, con objeto de transformarlos en productos de un valor superior al del capital adelantado; este es su consumo productivo, que al mismo tiempo significa consumo de su fuerza por el capitalista a quien pertenece. Pero el dinero desembolsado para la compra de esta fuerza es empleado por el trabajador en medios de subsistencia, y esto es lo que constituye su consumo individual.

Son, pues, perfectamente distintos el consumo productivo y el consumo individual del trabajador. En el primero, el obrero actúa como fuerza que pone en actividad al capital y pertenece al capitalista; en el segundo, se pertenece a sí, e independientemente del acto de producción, ejecuta funciones vitales. El resultado del primero es la vida del capital; la vida del obrero mismo es el resultado del segundo.

El capitalista asegura la conservación y la reducción a valor de su capital entero al transformar en fuerza de trabajo una parte de su capital. Haciendo esto, mata dos pájaros de un tiro: saca beneficio de lo que recibe del obrero y además de lo que le abona.

La clase obrera cambia el capital que sirve para pagar la fuerza de trabajo por las subsistencias cuyo consumo fortalece los músculos, los nervios, el cerebro de los trabajadores existentes, y forma nuevos trabajadores. Sin rebasar los límites de lo estrictamente necesario, el consumo individual de la clase obrera no es más que la transformación de las subsistencias, la cual le permite que venda su fuerza de trabajo en nueva fuerza de trabajo, en nueva materia explotable por el capital. Por contribuir a la producción y reproducción del instrumento más necesario al capitalista, que es el trabajador, el consumo individual de éste es, por lo tanto, un elemento de la reproducción del capital.

Es cierto que el trabajador efectúa su consumo individual para su propia satisfacción y no para la del capitalista. Pero las bestias de carga también quieren comer, ¿acaso por esto su alimentación no contribuye a dar utilidad al propietario? El resultado es que el capitalista no necesita cuidar del consumo individual de los obreros; esto lo deja a merced de los instintos de conservación y de reproducción del trabajador libre; su único interés en esta materia es el de limitarlo a lo estrictamente necesario. Por esta razón, el cortesano rastrero del capital, el economista vulgar, solo considera como productiva la parte del consumo individual que necesita hacer la clase obrera para perpetuarse y acrecentarse. Sin ella el capital no hallaría fuerza de trabajo que consumir, o no encontraría la suficiente. Aparte de su alimentación, todo cuanto el trabajador puede gastar en esparcimiento, sea físico o intelectual, es un consumo improductivo que, como si fuese un crimen, se le echa en cara.

Con razón puede considerarse el consumo individual del trabajador como improductivo, pero solo en cuanto a él, pues el consumo no reproduce sino al individuo necesitado; es productivo para el capitalista y para el Estado, pues da origen a la fuerza creadora de toda riqueza.

La simple reproducción mantiene al trabajador en la situación de asalariado

La clase obrera es, desde el punto de vista social, como cualquier otro instrumento de trabajo, una dependencia del capital, cuyo movimiento de producción exige el consumo individual de los trabajadores en ciertos límites. Este consumo individual que los sustenta y los reproduce destruye al propio tiempo las subsistencias que se habían procurado vendiéndose, y constantemente las obliga a reaparecer en el mercado.

Hemos visto que no bastan la producción y la circulación de las mercancías para acrecentar el capital. Era todavía necesario que el hombre de dinero encontrase en el mercado a otros hombres libres, pero obligados a vender voluntariamente su fuerza de trabajo por no poder vender otra cosa. La separación entre producto y productor, entre una categoría de personas dotadas de todas las cosas necesarias al trabajo para realizarse y otra categoría de individuos cuyo único patrimonio se reduce a su fuerza de trabajo, era el punto de partida de la producción capitalista. Pero el que fue punto de partida se convirtió bien pronto, gracias a la simple reproducción, en resultado constantemente renovado. El movimiento de producción no cesa por una parte de trasformar la riqueza material en capital y en medios de gozar para el capitalista; por otra, el obrero es después exactamente lo mismo que era antes: origen personal de la riqueza, privada de sus propios medios de realización. La periódica repetición del movimiento de producción capitalista transforma de continuo el producto del asalariado en valor que absorbe la fuerza creadora de este, en medios de subsistencia que sirven para avasallar al obrero.

El sistema de producción capitalista reproduce, pues, por sí mismo, la separación entre el trabajador y las condiciones del trabajo. Solamente por esto reproduce y perpetúa las condiciones que obligan al obrero a venderse para vivir y permiten al capitalista comprarlo para enriquecerse. Quien los coloca frente a frente en el mercado como vendedor y comprador no es el acaso, es el hecho mismo del sistema de producción el que arroja siempre al obrero en el mercado como vendedor de su fuerza de trabajo y el que transforma su producto en medio de compra para el capitalista. Realmente, el trabajador pertenece a la clase capitalista, a la clase que dispone de los medios de vida; antes de venderse a un capitalista individual. Se oculta su esclavitud económica bajo la renovación continua de este acto de venta, por el engaño del libre contrato, por el cambio de dueños individuales y por las oscilaciones de los precios que alcanza en el mercado el trabajo.

Considerado en su continuidad, o como reproducción, el movimiento de producción capitalista no produce solamente mercancías y plusvalía sino que reproduce y perpetúa su base: el trabajador en la condición de asalariado.

Capítulo XXII
Transformación de la plusvalía en capital

I. Reproducción en mayor escala

En los capítulos precedentes hemos visto cómo la plusvalía nace del capital; ahora veremos cómo el capital nace de la plusvalía.

Si en vez de ser consumida la plusvalía, se adelanta y se emplea como capital, se forma uno nuevo que se añade al primitivo.

Consideremos desde luego dicha operación en lo que toca al capitalista individual. Un industrial hilador, por ejemplo, adelanta 250 000 marcos; las cuatro quintas partes, 200 000 marcos, en algodón, máquinas, etc., y en salarios la restante. Anualmente produce con esto 75 000 kilogramos de hilados de un valor de 4 marcos cada kilogramo, o sea un total de 300 000 marcos. La plusvalía, que es desde luego de 50 000 marcos, está contenida en el producto neto de 12 500 kilogramos, que es la sexta parte del producto bruto, pues vendidos a 4 marcos el kilogramo, producen una suma igual de 50 000 marcos, y esta cantidad vale siempre 50 000 marcos. Su carácter de plusvalía indica cómo han llegado a manos del capitalista, pero en nada altera su carácter de valor de dinero.

El industrial, para capitalizar la nueva suma de 50 000 marcos, no hace más que adelantar las cuatro quintas partes de ella para la compra de algodón y demás materiales necesarios, y la parte restante para adquirir hilanderos suplementarios. Hecho esto, el nuevo capital de 50 000 marcos funciona en la fábrica de hilados y produce a su vez una plusvalía de 10 000 marcos.

El capital ha sido adelantado en forma de dinero en sus comienzos; la plusvalía, al contrario, existe desde luego como valor de cierta cantidad de producto bruto. Si la venta de este último, su cambio por dinero, vuelve el capital a su forma primitiva, la forma dinero también transforma el modo de ser primitivo de la plusvalía, que es la forma mercancía. Pero después de la venta del producto bruto, valor capital y plusvalía son igualmente sumas de dinero, y su transformación en capital, que tiene lugar enseguida, se efectúa del mismo modo para ambas cantidades. El capitalista adelanta las dos sumas para comprar las mercancías, con cuyo auxilio vuelve a empezar de nuevo, y ahora en mayor escala, la fabricación de su producto.

No obstante, para poder comprar los elementos constitutivos de aquella fabricación, es necesario que los encuentre en el mercado. Por consiguiente, la producción anual debe suministrar no solo todos los artículos necesarios para reemplazar los elementos materiales del capital gastado durante el año, sino también una cantidad de dichos artículos mayor que la consumida, así como fuerzas de trabajo suplementarias, a fin de que pueda funcionar el nuevo valor capital, que ya es mayor que el primitivo.

El mecanismo de la producción capitalista suministra esta demasía de fuerza de trabajo, reproduciendo a la clase obrera como clase asalariada cuyo salario usual no asegura únicamente el sustento, sino también la multiplicación. Solo se necesita para esto que una parte del sobretrabajo anual se haya empleado en crear medios de producción y de subsistencia, además de los necesarios para la reposición del capital adelantado, no teniendo que hacer entonces más que añadir las nuevas fuerzas de trabajo suministradas cada año en edades diversas por la clase obrera al exceso de medios que la producción anual contiene.

Por consiguiente, la acumulación resulta de la reproducción del capital en proporción creciente.

Cuanto más acumula el capitalista, más puede acumular

Se ha formado el capital primitivo, en el ejemplo anterior, por el adelanto de 250 000 marcos. ¿De dónde ha sacado el capitalista estas riquezas? "De su propio trabajo o del de sus antepasados", responden a coro los sabios de la economía política; y su suposición parece que, en efecto, es la única conforme con las leyes de la producción mercantil.

No ocurre lo mismo con el nuevo capital de 50 000 marcos. Nos es perfectamente conocida su procedencia: nace de la plusvalía capitalizada. Desde su origen, no contiene la más mínima partícula de valor que no provenga del trabajo no pagado de otro. Los medios de producción, a los que se añade la fuerza obrera suplementaria, así como las subsistencias que la mantienen, son partes del producto neto del tributo arrancado anualmente a la clase obrera por la clase capitalista. El hecho de que mediante cierta cantidad de dicho tributo esta última compre a la clase obrera una demasía de fuerza, aun en su justo valor, aseméjase a la magnanimidad de un conquistador que se halla dispuesto a pagar generosamente las mercancías de los vencidos con el dinero que les ha arrancado. La clase obrera, merced a su sobretrabajo de un año, crea el nuevo capital que permitirá el año próximo crear trabajo de más; esto es lo que se llama crear capital por medio del capital.

La acumulación de 50 000 marcos por el primer capital supone que la suma de 250 000 marcos adelantada como capital primitivo proviene del propio caudal de su poseedor, de su "trabajo primitivo". Pero la acumulación de 10 000 marcos por el segundo capital supone la acumulación precedente del capital de 50 000 marcos, que es la plusvalía capitalizada del capital primitivo. De esto se sigue que el capitalista adquiere más medios de acumular cuanto más acumula. En otros términos, cuanto más trabajo no pagado de otro se haya apropiado anteriormente, más aún puede monopolizar en la actualidad.

La apropiación capitalista no es más que la aplicación de las leyes de la producción mercantil

Es necesario comprender bien que este modo de enriquecerse resulta, no de la violación, sino, al contrario, de la aplicación de las leyes que rigen la producción mercantil. Para convencerse, basta echar una ojeada sobre las operaciones sucesivas que tienden a la acumulación.

Ya hemos visto que la transformación positiva de una suma de valor en capital se hace conforme a las leyes del cambio. Uno de los dos que cambian vende su fuerza de trabajo, que el otro compra. El primero recibe el valor de su mercancía, y el uso de esta, que es el trabajo, pertenece al otro, quien, con el auxilio de un trabajo que le pertenece, transforma los medios de producción, que también le pertenecen, en un nuevo producto que es suyo con perfecto derecho.

El valor de este producto contiene, desde luego, el de los medios de producción consumidos; pero el trabajo no emplearía con utilidad estos medios si su valor no pasase al producto. Además, dicho valor encierra el equivalente de la fuerza de trabajo y una plusvalía. Este resultado se debe a que la fuerza obrera vendida, por el tiempo determinado, un día, una semana, etc., posee más valor del que su uso produce en el mismo tiempo. Pero al obtener el valor de cambio de su fuerza, el trabajador ha enajenado el valor de uso de ella, como sucede en toda compra y venta de mercancías.

Aunque el uso de este artículo particular, el trabajo, sea suministrar trabajo, y por lo tanto, producir valor, eso en nada altera la dicha ley general de la producción mercantil. Si la suma de valor adelantada en salarios se vuelve a encontrar en el producto con una demasía, esta no proviene de un engaño cometido con el vendedor, quien recibe el equivalente de su mercancía, sino del consumo que de esta hace el comprador. La ley de los cambios no exige la igualdad sino por relación del valor cambiable de los artículos enajenados mutuamente, pero supone una diferencia entre sus valores de uso, y nada tiene que ver con su consumo, que únicamente comienza después de haberse realizado la venta.

Así, pues, la transformación primitiva del dinero en capital se efectúa conforme a las leyes económicas de la producción de mercancías y al derecho de propiedad que se origina de ellos. ¿En qué se modifica este hecho porque el capitalista transforme enseguida la plusvalía en capital? Hemos dicho que esta plusvalía es propiedad suya, y los nuevos obreros que recluta la plusvalía funcionando a su vez como capital no tienen nada que ver con que ella haya sido producida anteriormente por obreros. Todo lo que estos nuevos obreros pueden exigir es que el capitalista les pague también a ellos su fuerza de trabajo.

No se presentarían así las cosas si se examinasen las relaciones que hay entre el capitalista y los obreros, no separadamente, sino en su encadenamiento, y se tuviesen en cuenta la clase capitalista y la clase obrera. Pero como la producción mercantil no pone frente a frente sino vendedores y compradores, independientes unos de otros, para juzgar esta producción según sus leyes es necesario juzgar cada transacción separadamente, y no en su unión con la que le precede o con la que sigue. Además, como las compras y ventas se hacen siempre de individuo a individuo, no deben buscarse en ellas las relaciones entre una y otra clase.

Del mismo modo, cada uno de los esfuerzos en función del capital le da nuevo impulso, y conforme el derecho de la producción mercantil, en el régimen capitalista la riqueza puede ser cada día más monopolizada, merced a la apropiación sucesiva del trabajo no pagado de otro. ¡Qué ilusión es, pues, la de ciertas escuelas socialistas que pretenden quebrantar el régimen del capital aplicándole las leyes de la producción mercantil!

II. Ideas falsas acerca de la acumulación

Evidentemente, las mercancías que el capitalista compra como medios de goce no le sirven como medios de producción y multiplicación de su valor; el trabajo que paga con el mismo fin no es tampoco trabajo productivo. De este modo, derrocha la plusvalía a título de ganancia, en vez de hacerla fructificar como capital.

La economía política burguesa también ha predicado la acumulación como el primero de los deberes cívicos, es decir, el empleo de una gran parte de las utilidades en el reclutamiento de trabajadores productivos, que producen más de lo que reciben. Además, ha combatido la creencia popular que confunde la acumulación capitalista con el hacinamiento de tesoros, como si el guardar el dinero bajo llave no fuese el método más seguro para no capitalizarlo. No debe, pues, confundirse la acumulación capitalista, que es un acto de producción, con el aumento de los bienes que figuran en el fondo de consumos de los ricos y se gastan lentamente, ni tampoco con la formación de reservas o provisiones, hecho común a todos los sistemas de producción.

Con mucha razón, la economía política clásica ha sostenido que el rasgo más característico de la acumulación es que las gentes que viven del producto neto deben ser trabajadores productivos, y no improductivos. Pero se equivoca cuando saca de aquí la conclusión de que la parte del producto neto que se transforma en capital es consumida por la clase obrera.

De esta manera de ver se deduce que toda la plusvalía transformada en capital únicamente se adelanta en salarios. Por el contrario, la plusvalía se divide, lo mismo que el valor-capital de donde procede, en precio de compra de medios de producción y fuerza de trabajo suplementaria; el producto líquido ha de contener un exceso de subsistencias de primera necesidad. Mas para que esta fuerza suplementaria pueda ser explotada, debe contener, además, nuevos medios de producción que no entran en el consumo personal de los trabajadores ni tampoco en el de los capitalistas.

III. División de la plusvalía en capital y en renta

El capitalista gasta una parte de la plusvalía como ganancia, y la otra la acumula como capital. Siendo las mismas todas las demás circunstancias, la proporción según la cual se hace esta división determinará la cantidad de la acumulación. El propietario de la plusvalía, el capitalista, es quien la divide, según su voluntad. De la parte del tributo por él arrancado y que él mismo acumula se dice que la ahorra, porque no la consume, es decir, porque cumple su papel de capitalista, que es el de enriquecerse.

El capitalista no tiene ningún valor histórico, ningún derecho histórico a la vida, ninguna razón de ser social, en tanto no funciona como capital personificado. Únicamente bajo esta condición, la necesidad momentánea de su propia existencia es una consecuencia de la necesidad pasajera del sistema de producción capitalista. El fin determinante de su actividad no es, pues, ni el valor de uso ni el goce, sino el valor de cambio y su acrecentamiento continuo. Agente fanático de la acumulación, obliga incesantemente a los hombres a producir para producir, impulsándolos así, instintivamente, a desarrollar las potencias productoras y las condiciones materiales que pueden formar por sí solas la base de una sociedad nueva y superior.

El desarrollo de la producción capitalista exige un acrecentamiento continuo del capital invertido en una empresa, y la competencia obliga a cada capitalista individual a obrar de grado o por fuerza conforme a las leyes de la producción capitalista. La competencia no le permite conservar su capital sin aumentarlo, y no puede continuar aumentándolo sino mediante una acumulación cada vez más considerable. Su voluntad y su conciencia no expresan más que las necesidades del capital que representa; en su consumo personal no ve sino una especie de robo, o de préstamo al menos, hecho a la acumulación.

Mas, según se va desarrollando el régimen de producción capitalista y con él la acumulación y la riqueza, el capitalista deja de ser simple personificación del capital. En tanto que el capitalista chapado a la antigua omite todo gasto individual que no es indispensable, no viendo en él más que una usurpación hecha a la riqueza, el capitalista a la moderna es capaz de ver en la capitalización de la plusvalía un obstáculo para sus necesidades insaciables de goces.

En los comienzos de la producción capitalista (y este hecho se renueva en la vida privada de todo industrial principiante), la avaricia y el afán de enriquecerse lo dominan exclusivamente. Pero el progreso de la producción no solo crea todo un nuevo mundo de goces, sino que el león de la especulación y el crédito abre mil fuentes de súbito enriquecimiento. Llegado a cierto grado, el desarrollo impone aún al infeliz capitalista una prodigalidad puramente convencional, muestra a la vez de riqueza y de crédito. Llega a ser el lujo una necesidad del oficio y entra en los gastos de representación del capital. Pero no es esto todo. El capitalista no se enriquece, como el labrador o el artesano independiente, en proporción a su trabajo particular y a su sobriedad personal, sino proporcionalmente al trabajo gratuito de otro que absorbe y a la privación de todos los placeres de la vida que inflige a sus obreros. Se acrecienta su prodigalidad a medida que acumula, sin que su acumulación esté necesariamente restringida por su gasto. De todos modos, hay en él lucha entre la tendencia a la acumulación y la tendencia al placer.

Teoría de la abstinencia

Ahorrar, ahorrar constantemente, volver a transformar sin descanso en capital la mayor parte posible de la plusvalía o del producto líquido, acumular para acumular, producir para producir, ese es el lema de la economía política al proclamar la misión histórica del período burgués. Si el proletario no es más que una máquina que produce plusvalía, también el capitalista es una máquina que capitaliza esta plusvalía.

Después de 1830, en la época en que se propagaban las doctrinas socialistas, el fourierismo y el sansimonismo en Francia, el owenismo en Inglaterra, mientras el proletariado de las ciudades tocaba en Lyón el somatén de alarma y en Inglaterra el proletariado del campo paseaba la tea incendiaria, fue cuando la economía política reveló al mundo una doctrina maravillosa para salvar la sociedad amenazada.

Dicha doctrina transformó instantáneamente las condiciones del movimiento de trabajo del capitalista en otras tantas prácticas de "abstinencia" del capitalista, aunque admitiendo que su obrero no se abstiene de trabajar para él. M. G. de Molinari dice que el capitalista "se impone una privación al prestar sus instrumentos de producción al trabajador"; es decir, se impone una privación como capital añadiendo a ellos la fuerza obrera, en vez de comerse los piensos, los animales de tiro, el algodón, las máquinas de vapor, etc.

En resumen, todo el mundo se compadeció de las mortificaciones del capitalista. La acumulación no es solo "la simple conservación de un capital, exige un esfuerzo constante para resistir a la tentación de consumirlo" (Courcelle-Seneuil). Sería necesario, en verdad, haber renunciado a todo sentimiento humanitario para no buscar el modo de librar al capitalista de sus tentaciones y de su martirio, librándole de su capital.

IV. Circunstancias que influyen en la extensión de la acumulación

Determinada la proporción según la cual la plusvalía se divide en capital y en beneficio, la cantidad del capital acumulado depende evidentemente de la cantidad de la supervalía. Suponiendo, por ejemplo, que la proporción es de 80 por 100 lo capitalizado y de 20 por 100 lo consumido, entonces el capital acumulado se eleva a 2400 marcos o a 1200, según la plusvalía sea de 3000 o de 1500 marcos.

Así, todas las circunstancias que determinan la cantidad de la plusvalía contribuyen a determinar la extensión de la acumulación. Recapitulémoslas desde este último punto de vista.

Grado de explotación de la fuerza obrera

Sabemos que el tipo de la plusvalía depende, en primer lugar, del grado de explotación de la fuerza obrera. Hemos supuesto siempre, al tratar de la producción de la plusvalía, que el obrero recibe el justo valor de su fuerza. Sin embargo, los cercenamientos hechos a este valor juegan en la práctica un papel muy importante. Este procedimiento transforma en cierto modo el fondo de consumo necesario para el sustento del trabajador en fondo de acumulación del capitalista. La tendencia del capital es también reducir los salarios todo lo posible y eliminar del consumo obrero lo que él llama lo superfluo.

El capital ha sido auxiliado en esta tarea por la competencia cosmopolita que el desarrollo de la producción capitalista ha hecho nacer entre todos los trabajadores del globo. Hoy día se trata nada menos que de hacer bajar, en una época más o menos próxima, el nivel europeo de los salarios al nivel chino.

Además, una explotación más intensa de la fuerza de trabajo permite aumentar la cantidad de trabajo sin aumentar la maquinaria, es decir, el conjunto de medios de trabajo, máquinas, aparatos, instrumentos, edificios, construcciones, etcétera. Un establecimiento que, por ejemplo, emplea 100 hombres trabajando 8 horas diarias, recibirá cada día 800 horas de trabajo. Si para aumentar este total en una mitad más admitiese el capitalista 50 nuevos obreros, necesitaría hacer un adelanto, no solo en salarios, sino también en maquinaria. Pero si hace trabajar a sus 100 obreros 12 horas diarias en vez de 8, obtiene el mismo resultado, y la antigua maquinaria es suficiente.

En adelante, esa maquinaria va a funcionar en mayor escala, se desgastará más pronto y habrá que reponerla antes, y esto será todo. Obtenido de ese modo un excedente de trabajo para un esfuerzo más considerable exigido a la fuerza obrera, aumenta la plusvalía o el producto líquido, fundamento de la acumulación, sin que haya necesidad de un aumento previo y proporcional a la parte del capital adelantado en maquinaria.

Un simple excedente de trabajo, sacado del mismo número de obreros, basta en la industria extractora, por ejemplo, la de las minas, para aumentar el valor y la masa del producto que suministra gratuitamente la Naturaleza, y por consiguiente, el fondo de acumulación. En la agricultura, en que la sola acción mecánica del trabajo sobre el suelo alimenta maravillosamente su fertilidad, un excedente de trabajo idéntico produce mayor efecto, como en la industria extractora la acción directa del hombre sobre la Naturaleza favorece la acumulación. Además, como la industria extractora y la agricultura suministran materias a la industria manufacturera, el acrecentamiento de productos que el excedente de trabajo procura, en las dos primeras, sin aumento de adelantos, redunda en provecho de la última. Únicamente merced a la fuerza obrera y a la tierra, fuentes primitivas de la riqueza, el capital aumenta sus elementos de acumulación.

Productividad del trabajo

El grado de productividad del trabajo social es otro elemento importante de la acumulación.

Determinada la plusvalía, la abundancia del producto líquido, del cual ella es el valor, corresponde a la productividad del trabajo puesto en función. Por lo tanto, a medida que el trabajo desarrolla sus facultades productivas, aumentando la eficacia y la cantidad de los medios de producción, rebajando su precio, el de las subsistencias y el de las materias primeras y auxiliares, el producto líquido encierra más medios de gozar y de acumular. La parte de la plusvalía que se capitaliza de este modo puede aumentar a expensas de la otra, que constituye la renta, sin que por eso disminuya el consumo del capitalista, pues en lo sucesivo un valor más pequeño se realiza en una cantidad mayor de objetos útiles

Diferencia creciente entre el capital empleado y el capital consumido

La propiedad natural del trabajo, al crear nuevos valores, es de conservar los antiguos, pues el trabajo transmite al producto el valor de los medios de producción consumidos. A medida que sus medios de producción aumentan en actividad, en masa y valor, o en otros términos, a medida que se hace más productivo y favorece más la acumulación, el capital conserva y perpetúa un valor capital siempre creciente.

La parte del capital que se adelanta en forma de maquinaria funciona siempre por completo en la producción, mientras que, no desgastándose sino poco a poco, sólo transmite su valor por fracciones a las mercancías que ayuda a confeccionar sucesivamente. Su aumento produce una diferencia de cantidad cada vez más considerable entre la totalidad del capital empleado y, la parte de éste consumido de una sola vez. Compárese, por ejemplo, el valor de los ferrocarriles europeos explotados diariamente con la cantidad de valor que pierden por su uso diario. Luego estos medios creados por el hombre prestan servicios gratuitos en proporción de los efectos útiles que contribuyen a producir sin aumento de gastos. Estos servicios gratuitos del trabajo de otro período, puestos en actividad por el de hoy, se acumulan gracias al desarrollo de las fuerzas productivas y a la acumulación que lo acompaña.

El concurso cada vez más potente que, en forma de maquinaria, el trabajo pesado lleva al trabajo vivo es atribuído por los economistas al capitalista que se ha apropiado la obra, no al obrero que la ha ejecutado. Desde su punto de vista, el instrumento de trabajo y el carácter de capital que reviste en el medio social actual jamás pueden separarse así como, en la mente del plantador de Georgia, el trabajador mismo tampoco podía separarse de su carácter de esclavo.

Cantidad del capital adelantado

Una vez determinado el grado de explotación de la fuerza obrera, la cantidad de la plusvalía se determina por el número de obreros explotados a la vez, y este número corresponde, aunque en proporciones variables, a la cantidad del capital adelantado. Luego, a medida que se acrecienta el capital mediante acumulaciones sucesivas, más se acrecienta también el valor que ha de dividirse en fondo de consumo y en fondo de nueva acumulación.

V. El fondo del trabajo

Los capitalistas, sus hijos y sus gobiernos derrochan cada año una parte considerable del producto líquido anual; guardan, además, en su fondo de consumo una porción de objetos que lentamente se gastan y son aptos para un empleo reproductivo, haciendo estériles, al adaptarlas a su servicio personal, una multitud de fuerzas obreras. La cantidad de riqueza que se capitaliza no es, pues, nunca tan grande como podría ser. La relación de cantidad con el total de la riqueza social varía con todo cambio en la división de la plusvalía en una renta personal y un nuevo capital. Así, lejos de ser una parte determinada de adelanto y una parte fija de la riqueza social, el capital social solo es una porción variable de esta.

No obstante, ciertos economistas se hallan propensos a no ver en el capital social más que una parte determinada de adelanto de la riqueza social, y aplican esta teoría a lo que ellos llaman "fondo del salario", o "fondo del trabajo". Ese es, según ellos, una porción particular de la riqueza social, el valor de una cantidad dada de subsistencias, cuya naturaleza fija a cada momento los límites fatales que la clase trabajadora trata de franquear inútilmente. De creer esto, estando así determinada la suma que debe distribuirse entre los asalariados, se sigue que si la parte que toca a cada uno es demasiado pequeña, ocurre así porque su número es demasiado grande, y que, por último, su miseria es un hecho, no del orden social, sino del orden natural.

En primer lugar, los límites que el sistema capitalista impone al consumo del productor no son "naturales" sino dentro del medio adecuado a este sistema, así como el látigo no funciona como aguijón "natural" del trabajo más que en el sistema de esclavitud. En efecto, es propio de la naturaleza de la producción capitalista limitar la parte del productor a lo que es indispensable para el sustento de su fuerza obrera y el atribuir al capitalista la demasía de su producto. Lo que sería necesario demostrar, ante todo, es que, a pesar de su origen completamente reciente, el sistema capitalista de la producción social es, sin embargo, su sistema irrevocable y "natural".

Pero aun con la manera de ser del sistema capitalista, no es cierto que el "fondo del salario" esté determinado de antemano por la suma de la riqueza social o del capital social. Puesto que este es solamente una porción variable de la riqueza social, el fondo del salario, que no es más que una parte de este capital, no sería una parte fija y determinada de antemano de la riqueza social.

Capítulo XXIII
Ley general de la acumulación capitalista

I. La composición del capital

Vamos a examinar la influencia que el acrecentamiento del capital ejerce en la suerte de la clase obrera. El elemento más importante para la solución de este problema es la composición del capital y los cambios que este experimenta con el progreso de la acumulación.

La composición del capital puede ser considerada desde un doble punto de vista. Con relación al valor, se halla determinada por la proporción, según la cual se divide el capital en parte constante (el valor de los medios de producción) y en parte variable (el valor de la fuerza obrera). Con relación a su materia, tal como aparece en el acto de producción, todo capital consiste en medios de producción y en fuerza obrera activa, y su composición está determinada por la proporción que existe entre la masa de los medios de producción empleados y la cantidad de trabajo que se necesita para hacerlos funcionar.

La primera composición del capital es la composición-valor; la composición técnica, la segunda. Y a fin de expresar el lazo íntimo existente entre ambas, denominaremos composición orgánica del capital a su composición valor, siempre que dependa de esta su composición técnica, y que, por lo tanto, los cambios ocurridos en la cantidad de medios de producción y de fuerza obrera influyan en su valor. Cuando hablamos en general de la composición del capital, se trata siempre de su composición orgánica.

Los numerosos capitales colocados en un mismo ramo de producción, y que funcionan en mano de una multitud do capitalistas independientes unos de otros, difieren más o menos en su composición, pero el término medio de sus composiciones particulares constituye la composición del capital social consagrado a este ramo de producción. La composición media del capital varía mucho de uno a otro ramo de producción, pero el término medio de todas estas composiciones medias constituye la composición del capital social empleado en un país. A esta última nos referimos en las investigaciones siguientes.

Circunstancias en que la acumulación del capital puede provocar un alza de los salarios

Cierta cantidad de la plusvalía capitalizada debe ser adelantada en salarios. Así, pues, suponiendo que la composición del capital sea la misma, la demanda de trabajo marchará a compás de la acumulación, y la parte variable del capital aumentará al menos en la misma proporción que su masa total.

De este modo, el progreso constante de la acumulación debe provocar, tarde o temprano, una elevación gradual de los salarios. Porque, proporcionando anualmente ocupación a un número de asalariados mayor que el del año precedente, las necesidades de esta acumulación, la cual va en aumento siempre, acabarán por sobrepujar la oferta ordinaria de trabajo, y por descontado, se elevará el tipo de los salarios.

Sin embargo, las circunstancias más o menos favorables en medio de las cuales la clase obrera se reproduce y se multiplica no alteran en nada el carácter fundamental de la reproducción capitalista. Así como la reproducción simple vuelve a traer constantemente la misma relación social, capitalismo y salariado, del mismo modo la acumulación no hace más que reproducir, con más capitalistas o capitalistas más poderosos por un lado y más asalariados por otro. La reproducción del capital encierra la de su gran instrumento de crear valor: la fuerza de trabajo. Acumulación del capital es, pues, al mismo tiempo, aumento del proletariado, de los asalariados que transforman su fuerza obrera en forma vital del capital, y se convierten así, degrados o por fuerza, en siervos de su propio producto, que es propiedad del capitalista.

En la situación que suponemos, y que es la más favorable posible para los obreros, su estado de dependencia reviste, pues, las formas más soportables. En vez de ganar en intensidad, la explotación y la dominación capitalistas ganan simplemente en extensión a medida que aumenta el capital y con él el número de sus vasallos. Entonces toca a estos una parte mayor del producto líquido siempre creciente, de suerte que se hallan en disposición de ensanchar el círculo de sus goces, de alimentarse mejor, de vestirse, de proveerse de muebles, etc., y de formar pequeñas reservas pecuniarias. Mas si un trato mejor para con el esclavo, una limitación más abundante, vestidos más decentes y un poco más de dinero por añadidura no pueden romper las cadenas de la esclavitud, lo mismo sucede con las del salariado.

No hay que olvidar, en efecto, que la ley absoluta del sistema de producción capitalista es fabricar plusvalía. Lo que el comprador de la fuerza obrera se propone es enriquecerse haciendo valer su capital, produciendo mercancías que contienen más trabajo del que paga por ellas, y con cuya venta realiza, por lo tanto, una porción de valor que no le ha costado nada. Cualesquiera que sean las condiciones de la venta de la fuerza obrera, la naturaleza del salario es poner siempre en movimiento cierta cantidad de trabajo gratuito. El aumento del salario no indica sino una disminución relativa del trabajo gratuito que el obrero debe proporcionar siempre; pero esta disminución nunca llegará a ser tal que ponga en peligro el sistema capitalista.

Hemos admitido que el tipo de los salarios haya podido elevarse gracias a un aumento del capital superior al del trabajo ofrecido. Solo queda entonces esta alternativa: o los salarios continúan subiendo y al ser motivado este movimiento por los progresos de la acumulación, resulta evidente que la disminución del trabajo gratuito de los obreros no impide al capital extender su dominación o bien el alza continua de los salarios comienza a perjudicar a la acumulación, y esta llega a disminuir. Pero esta disminución nunca hace desaparecer la causa primera del alza, que no es otra sino el exceso del capital comparado con la oferta del trabajo. Inmediatamente el tipo del salario vuelve a descender a un nivel en armonía con las necesidades del movimiento del capital, nivel que puede ser superior, igual o inferior al que era en el momento de efectuarse el alza de los salarios.

De este modo, el mecanismo de la producción capitalista vence por sí solo el obstáculo que puede llegar a crear aun en el caso de que no varíe la composición del capital. Pero el alza de los salarios es un acicate poderoso que impele al perfeccionamiento de la maquinaria, y por tanto, al cambio en la composición del capital, que trae por consecuencia la baja de los salarios.

La magnitud del capital no depende del número de la población obrera

Tenemos que conocer a fondo la relación que existe entre los movimientos del capital en vías de acumulación y las oscilaciones del tipo de los salarios que a aquellos se refieren.

Un exceso de capital procedente de una acumulación más rápida, hace que el trabajo ofrecido sea relativamente insuficiente, y por consecuencia, tiende a elevar su precio. Un aminoramiento de la acumulación da por resultado que el trabajo ofrecido sea relativamente superabundante y rebaja su precio. El movimiento de aumento y de disminución del capital en vías de acumulación produce, pues, alternativamente, la insuficiencia y la superabundancia relativas del trabajo ofrecido; pero ni una baja efectiva del número de la población obrera hace que el capital abunde en el primer caso, ni un aumento efectivo de dicho número hace al capital insuficiente en el segundo.

La relación entre la acumulación del capital y el tipo del salario no es otra cosa que la relación entre el trabajo gratuito, transformado en capital, y el suplemento de trabajo pagado que exige este capital suplementario para ser puesto en actividad. No es precisamente una relación entre dos términos independientes uno de otro, a saber, por un lado la suma del capital y por otro el número de la población obrera, sino, en último término, una relación entre el trabajo gratuito y el trabajo pagado de la misma población obrera.

Si la cantidad de trabajo gratuito que suministra la clase obrera, y que acumula la clase capitalista, aumenta tan rápidamente que su transformación en nuevo capital necesita un suplemento extraordinario de trabajo pagado; en otras palabras, si el aumento del capital produce una demanda más considerable de trabajo, el salario sube, y siendo las mismas las demás circunstancias, el trabajo gratuito disminuye proporcionalmente. Pero desde el momento en que, a consecuencia de esta disminución del sobretrabajo, hay aminoramiento de la acumulación, sobreviene una reacción, la parte de la renta que se capitaliza es menor, la demanda de trabajo disminuye y el salario baja.

El precio del trabajo no puede elevarse jamás sino en unos límites que dejen intactas las bases del sistema capitalista y aseguren la producción del capital en una escala mayor. ¿Cómo podría suceder otra cosa donde el trabajador únicamente existe para aumentar la riqueza ajena creada por él? Así como, en el mundo religioso, el hombre se halla dominado por la obra de su mente, del mismo modo, en el mundo capitalista, lo es por la obra de sus manos.

II. La parte variable del capital disminuye relativamente a su parte constante

Como el alza de los salarios no depende sino del progreso continuo de la acumulación y de su grado de actividad, nos es preciso esclarecer las condiciones en que tiene lugar este progreso. Adam Smith dice: "La misma causa que hace que se eleven los salarios del trabajo, el aumento del capital, tiende a aumentar las fuerzas productivas del trabajo y a poner a una cantidad menor de trabajo en estado de producir mayor cantidad de obra".

Este resultado se obtiene mediante una serie de cambios en la manera de producir, que ponen a una cantidad dada de fuerza obrera en condiciones de manejar una masa cada vez mayor de medios de producción. En este aumento, por relación con la fuerza obrera empleada, los medios de producción desempeñan un doble papel. Los unos, máquinas, edificios, hornos, aumentan en número, extensión y eficacia, para hacer al trabajo más productivo; en tanto que los otros, materias primas y auxiliares, aumentan porque el trabajo, al hacerse más productivo, consume mayor cantidad de ellas en un tiempo determinado.

En el progreso de la acumulación no hay solamente aumento cuantitativo de los diversos elementos del capital. El desarrollo de las potencias productivas, que trae este progreso, se manifiesta aún por cambios cualitativos en la composición técnica del capital: la masa de los medios de producción, maquinaria y materiales, aumenta cada vez más en comparación con la cantidad de fuerza obrera indispensable para hacerlos funcionar.

Estos cambios en la composición técnica del capital obran sobre su composición-valor y traen consigo un aumento siempre creciente de su parte constante a expensas de su parte variable; de modo que si, por ejemplo, en una época atrasada de la acumulación se transforma el 50 por 100 del valor capital en medios productivos, y otro 50 por 100 en trabajo, en una época más adelantada se empleará el 80 por 100 del valor capital en medios de producción y solo el 20 por 100 en trabajo.

Pero este aumento de valor de los medios de producción no indica sino lejanamente el aumento mucho más rápido y más considerable de su masa. La razón de ello es que ese mismo progreso de las potencias del trabajo, que se manifiesta por el aumento de la maquinaria y de los materiales puestos en actividad con auxilio de una cantidad menor de trabajo, hace disminuir el valor de la mayor parte de los productos, y principalmente el de los que funcionan como medios de producción; su valor no se eleva tanto como su masa.

Hay que notar, por otra parte, que el progreso de la acumulación, al disminuir el capital variable relativamente al capital constante, no impide su aumento efectivo. Si suponemos que un valor-capital de 6000 marcos se divide primero por mitad en parte constante y en parte variable, y que más tarde, habiendo llegado, a consecuencia de la acumulación, a la cantidad de 18 000 marcos, la parte variable de esta cantidad no es más que la quinta, y a pesar de su disminución relativa de la mitad a la quinta parte, dicha parte variable se ha elevado de 3000 a 3600 marcos.

La cooperación, la división manufacturera del trabajo, la fabricación mecánica, etc., en suma, los métodos apropiados para desarrollar las fuerzas del trabajo colectivo, no pueden introducirse sino allí donde la producción tiene ya lugar en gran escala, y a medida que esta se extiende, aquellas fuerzas se desarrollan más y más. Teniendo por base el régimen del salario, la escala de las operaciones depende, en primer lugar, de la suma de los capitales acumulados entre las manos de los empresarios privados.

De este modo, la acumulación previa, cuyo origen examinaremos después, llega a ser el punto de partida del sistema de producción capitalista. Pero todos los métodos que emplea este sistema de producción para hacer más productivo el trabajo son otros tantos métodos para aumentar la plusvalía o el producto líquido, para alimentar la fuente de la acumulación. Así, pues, si la acumulación debe haber alcanzado cierto grado de extensión para que pueda establecerse el modo de producción capitalista, este acelera de rechazo la acumulación, cuyo nuevo progreso, al permitir un nuevo acrecentamiento de las empresas, extiende nuevamente la producción capitalista. Este desarrollo recíproco ocasiona en la composición técnica del capital las variaciones que van disminuyendo cada vez más su parte variable, pagando la fuerza de trabajo con relación a la parte constante que representa el valor de los medios de producción empleados.

Concentración y centralización

Cada uno de los capitales individuales de que se compone el capital social representa, desde luego, cierta concentración en manos de un capitalista de medios de producción y de medios de subsistencia del trabajo, y a medida que se produce la acumulación, esta concentración se extiende. Si se aumentan los elementos productivos de la riqueza, la acumulación opera, pues, al mismo tiempo su concentración cada vez mayor en manos de empresarios privados.

Todos esos capitales individuales que componen el capital social realizan juntamente su movimiento de acumulación, es decir, de reproducción en una escala cada vez mayor. Cada capital se enriquece con los elementos suplementarios que resultan de esta producción, y conserva así, al aumentarse, su existencia distinta y limita el círculo de acción de los demás. Por lo tanto, el movimiento de concentración no sólo se esparce en tantos puntos como la acumulación, sino que la división del capital social en una multitud de capitales independientes unos de los otros se mantiene precisamente porque todo capital individual funciona como centro de concentración.

Acrecienta otro tanto el capital social el aumento de los capitales individuales. Mas la acumulación del capital social resulta, no solo del acrecentamiento sucesivo de los capitales individuales, sino aún del aumento de su número, por la transformación, por ejemplo, en capitales de valores improductivos. Además, capitales enormes lentamente acumulados se dividen, en un momento dado, en muchos capitales diferentes, como con ocasión del reparto de una herencia sucede en las familias capitalistas. La concentración desaparece con la formación de nuevos capitales y con la división de los antiguos. El movimiento de la acumulación social presenta, pues, por un lado, una concentración cada vez mayor de los elementos reproductivos de la riqueza entre manos de empresario privados, y por otro, la diseminación y la multiplicación de los centros de acumulación y de concentración.

En cierto punto del progreso económico, esta división del capital social en multitud de capitales individuales se ve contrariada por el movimiento opuesto, merced al cual, atrayéndose mutuamente, se reúnen diferentes centros de acumulación y de concentración. Cierto número de capitales se funden entonces en un número menor, en una palabra, hay concentración propiamente dicha. Vamos a examinar rápidamente esta atracción del capital por el capital.

La guerra de la competencia se hace bajando cada cual los precios todo lo que puede. Siendo iguales las demás circunstancias, la baratura de los productos depende de la productividad del trabajo, y esta de la escala de las empresas. Los grandes capitales vencen a los pequeños. Cuanto más se desarrolla el sistema de producción capitalista, más aumenta el mínimo de los adelantos necesarios para explotar una industria en sus condiciones regulares. Los pequeños capitales se dirigen hacia los ramos de la producción de que la gran industria no se ha apoderado todavía o de que solo se ha apoderado de una manera imperfecta. La competencia es violentísima en este terreno, y siempre termina con la ruina de un buen número de pequeños capitales, cuyos capitales perecen en parte y pasan en parte a manos del vendedor.

El desarrollo de la producción capitalista da origen a una potencia completamente nueva, el crédito, que, en sus comienzos se introduce cautelosamente cual modesto auxiliar de la acumulación, se convierte enseguida en una nueva y terrible arma de la guerra de la competencia, y por último, se transforma en un inmenso aparato social destinado a centralizar los capitales.

A medida que se extienden la acumulación y la producción capitalista, la competencia y el crédito, los más poderosos agentes de la centralización, se desarrollan también. Por eso, en nuestra época, la tendencia a la centralización es más poderosa que en ninguna otra época. El acercamiento del capital no es un procedimiento relativamente lento comparado con la centralización, la cual, en primer lugar, sólo cambia la disposición cuantitativa de las partes componentes del capital. El mundo carecería aún del sistema de los ferrocarriles, por ejemplo, si hubiese tenido que aguardar el momento en que los capitales individuales se hubieran suficientemente acrecentado por la acumulación para hallarse en estado de tomar a su cargo una empresa de tamaña importancia, que la centralización del capital, por el auxilio de las sociedades por acciones, ha efectuado, por decirlo así, en un abrir y cerrar de ojos.

Los grandes capitales creados por la centralización se reproducen como los demás, pero con más rapidez, y se convierten a su vez en poderosos agentes de la acumulación social. Al aumentar y hacer más rápidos los efectos de la acumulación, la centralización extiende y precipita las variaciones en la composición técnica del capital, variaciones que aumentan su parte constante a expensas de su parte variable u ocasionan en la demanda de trabajo una disminución relativa a la cantidad del capital.

III. Demanda de trabajo relativa y demanda de trabajo efectiva

No depende la demanda de trabajo efectiva que ocasiona un capital de la cantidad absoluta de su parte variable, única que se cambia por la fuerza obrera. La demanda de trabajo relativa que ocasiona un capital, es decir, la proporción entre la cantidad de este capital y la suma de trabajo que absorbe, está determinada por la cantidad proporcional de su parte variable relativamente a su cantidad total. Hemos visto que la acumulación que acrecienta el capital social reduce al mismo tiempo la cantidad relativa de su parte variable y disminuye así la demanda de trabajo relativa. ¿Cuál es ahora la influencia de este movimiento en la suerte de la clase obrera? Lo que diferencia principalmente la centralización de la concentración, que no es más que la consecuencia de la reproducción en mayor escala, es que la centralización no depende de un aumento efectivo del capital social. Los capitales individuales de los que este último es el resultado, la materia que se centraliza, pueden ser más o menos considerables, dependiendo eso de los progresos de la acumulación; pero la centralización no admite más que un cambio de distribución en los capitales existentes, una sola modificación en el número de los capitales individuales que componen el capital social.

En un ramo de producción particular, la centralización no habría llegado a su último límite sino en el momento en que todos los capitales individuales que estuviesen empeñados en ella no formasen más que un solo capital individual. En una sociedad dada, tampoco llegaría a su último límite sino cuando el capital nacional entero no formase más que un solo capital y se hallase en manos de un solo capitalista o de una sola compañía de capitalistas.

La centralización no hace otra cosa que ayudar a la obra de acumulación, poniendo a los industriales en situación de ensanchar el círculo de sus operaciones. Que este resultado se deba a la acumulación o a la centralización, que se efectúe esta por el violento sistema de la anexión, al vencer unos capitales a otros enriqueciéndose con sus elementos desunidos, o que la fusión de una multitud de capitales se verifique por el procedimiento más suave de las sociedades por acciones, etc., el efecto económico de esta transformación no dejará de ser el mismo. La extensión del círculo de las empresas será constantemente el punto de partida de una organización más vasta del trabajo colectivo, de un desarrollo más amplio de sus resortes materiales, o lo que es igual, de la transformación cada vez mayor de movimientos de producción parciales y rutinarios en movimientos de producción combinados, social y científicamente ordenados.

Es evidente que la acumulación, el acrecentamiento gradual del capital, merced a su reproducción en la demanda de trabajo relativa, ejerce su acción sobre la demanda de trabajo efectiva.

Supongamos un capital de 1200 marcos; la cantidad relativa de la parte variable es de la mitad del capital entero. No variando este y bajando aquella de la mitad a la tercera parte, la cantidad efectiva de esta parte no es más que de 400 marcos, en vez de ser de 600; mientras no varía la cantidad de un capital, toda disminución en la cantidad relativa de su aparte variable es al mismo tiempo una disminución de la cantidad efectiva de aquel.

Si triplicamos el capital de 1200 marcos, que se convertirá en 3600 marcos, la cantidad relativa de la parte variable disminuye en esta misma proporción, es decir, es dividida por 3; y baja entonces de la mitad a la sexta parte. Su cantidad efectiva será de 600 marcos, como en su principio, pues 600 es la sexta parte de 3600 y la mitad de 1200; variando la cantidad total del capital, el fondo de los salarios, no obstante una disminución de su cantidad relativa, conserva la misma cantidad efectiva, si esta disminución se verifica en la misma proporción que el aumento del capital entero.

Si se duplica, el capital de 1200 marcos será de 2400 marcos. Si la cantidad relativa de la parte variable disminuye en mayor proporción que el aumento del capital, y baja, por ejemplo, como en el caso anterior, de la mitad a la sexta parte, su cantidad efectiva no será más que de 400 marcos. Si la disminución de la cantidad relativa de la parte variable tiene lugar en mayor proporción que el aumento del capital adelantado, el fondo de salario sufre una disminución efectiva, a pesar del aumento del capital. Si se triplica el mismo capital de 1200 marcos, resultará de 3600 marcos; la cantidad relativa de la parte variable disminuye, pero en menor proporción que el aumento del capital. Dividida por dos, mientras que el capital ha sido multiplicado por tres, baja de la mitad a la cuarta parte y su cantidad efectiva asciende a 900 marcos. Si la disminución de la cantidad relativa de la parte variable tiene lugar en una proporción menor que el aumento del capital entero, el fondo del salario experimenta un aumento efectivo, a pesar de la disminución de su cantidad relativa. Estos son los períodos sucesivos por que atraviesan las masas del capital social distribuidas entre los diferentes ramos de producción, y las condiciones diversas que presentan al mismo tiempo diferentes ramos de producción.

Tenemos los ejemplos de fábricas en que un mismo número de obreros es suficiente para poner en actividad una cantidad creciente de medios de producción; el aumento del capital procedente del acrecentamiento de su parte constante hace que disminuya en este caso otro tanto la cantidad relativa de la fuerza obrera explotada, sin variar su cantidad efectiva. Hay también ejemplos de disminución efectiva del número de obreros ocupados en ciertos ramos de industria y de su aumento simultáneo en otros ramos, aunque en todos haya habido aumento del capital invertido.

Anteriormente, hemos indicado las causas que, no obstante las tendencias contrarias, motivan que las filas de los asalariados vayan engrosando a medida que progresa la acumulación. Recordamos aquí, pues, lo que, de esta cuestión, tiene relación con nuestro asunto.

El mismo desarrollo del maquinismo que ocasiona una disminución, no solo relativa, sino frecuentemente efectiva, del número de obreros empleados en ciertos ramos de industria, permite a estos suministrar una masa mayor de productos a bajo precio: dichas industrias impulsan de esta manera el desarrollo de otras industrias, el de aquellas a quienes proporcionan medios de producción, o bien el de aquellas de donde sacan sus primeras materias, instrumentos, etc., y se forman así otros tantos mercados nuevos para el trabajo.

Hay momentos en que los trastornos técnicos se dejan sentir menos, en que la acumulación se presenta más bien como un movimiento de extensión sobre la última base técnica establecida. Entonces comienza de nuevo a operar más o menos la ley según la cual la demanda de trabajo aumenta en la misma proporción que el capital. Mas al mismo tiempo que el número de obreros atraídos por el capital llega a su máximo, los productos llegan a ser tan abundantes, que al menor obstáculo que se oponga a su circulación, el mecanismo social parece como que se detiene y el trabajo se interrumpe, disminuye. La necesidad que obliga al capitalista a economizarlo engendra perfeccionamientos técnicos que reducen por consecuencia el número de los obreros necesarios.

La duración de los momentos en que la acumulación favorece más la demanda de trabajo es cada día menor. Así, desde que la industria mecánica ha alcanzado la supremacía, el progreso de la acumulación redobla la energía de las fuerzas que tienden a disminuir la demanda de trabajo relativa y debilita las fuerzas que tienden a aumentar la demanda de trabajo efectiva. El capital variable, y por lo tanto la demanda de trabajo, aumenta con el capital social pero en proporción decreciente.

La ley de población adecuada a la época capitalista

Hallándose regida la demanda de trabajo, no solamente por la cantidad de capital variable puesto ya en actividad, sino también por el término medio de su aumento continuo (capítulo XXIV), la oferta de trabajo sigue siendo normal mientras sigue este movimiento. Mas cuando el capital variable llega a un término medio de aumento inferior, la misma oferta de trabajo, que era normal hasta entonces, se hace superabundante, de modo que una parte más o menos considerable de la clase asalariada, habiendo dejado de ser necesaria para poner en actividad el capital, es entonces superflua, supernumeraria.

Como semejante hecho se repite con el progreso de la acumulación, esta arrastra en pos de sí un sobrante de población que va continuamente en aumento.

El progreso de la acumulación y el movimiento que la acompaña de disminución proporcional del capital variable y de disminución correspondiente en la demanda de trabajo relativa dan por resultado el aumento efectivo del capital variable y de la demanda de trabajo en una proporción decreciente de un sobrante de población relativo. Le llamamos "relativo" porque proviene, no de un aumento real de la población obrera, sino de la situación del capital social, que le permite prescindir de una parte más o menos considerable de sus obreros. Como no existe este sobrante de población más que con relación a las necesidades momentáneas de la explotación capitalista, puede aumentar o disminuir repentinamente, según los movimientos de expansión y de contracción de la producción.

Al producir la acumulación del capital, y a medida que lo consigue, la clase asalariada produce los instrumentos de su anulación o de su transformación en sobrante de población relativo. Tal es la ley de población que distingue a la época capitalista y corresponde a su sistema de producción particular. Cada uno de los sistemas históricos de la producción social tiene su ley de población adecuada, ley que se aplica sólo a él y, por consiguiente, no tiene más que un valor histórico.

Formación de un ejército industrial de reserva

Si la acumulación, el progreso de la riqueza sobre la base capitalista, crea necesariamente un sobrante de población obrera, este a su vez se convierte en el más poderoso auxiliar de la acumulación, en una condición de existencia de la producción capitalista en su estado de completo desarrollo. Este sobrante de población forma un ejército de reserva industrial que pertenece al capitalista de una manera tan absoluta como si lo hubiese educado y disciplinado a expensas de él; ejército que provee a sus necesidades variables de trabajo la materia humana, siempre explotable y siempre disponible, independientemente del aumento natural de la población.

La presencia de esta reserva industrial, su entrada de nuevo, parcial o general, en el servicio activo, y su reconstitución con arreglo a un plan más vasto, se encuentra en el fondo de la vida accidentada que atraviesa la industria moderna, con la repetición casi regular cada diez años, aparte de las demás sacudidas irregulares, del mismo período compuesto de actividad ordinaria, de producción excesiva, de crisis y de inacción.

No se encuentra esta marcha singular de la industria en ninguna de las épocas anteriores de la humanidad. Solo de la época en que el progreso mecánico, habiendo echado raíces bastante profundas, ejerció una influencia preponderante sobre toda la producción nacional; en que por él, el comercio exterior comenzó a sobreponerse al comercio interior; en que el mercado universal se anexionó sucesivamente vastos territorios en América, en Asia y en Australia; en que, por último, las naciones rivales se hicieron bastante numerosas; de esa época solamente datan los períodos florecientes que van a parar siempre a una crisis general, final de un período y origen de otro. Hasta ahora, la duración de estos períodos es de diez u once años, pero no hay razón alguna para que este número sea inmutable. Al contrario, debe deducirse de las leyes de la producción capitalista, tal como acabamos de desarrollarlas, que ese número variará y que los períodos irán acortándose.

El progreso industrial, que sigue la marcha de la acumulación, al mismo tiempo que reduce cada vez más el número de obreros necesarios para poner en actividad una masa siempre creciente de medios de producción, aumenta la cantidad de trabajo que debe proporcionar el obrero individual. A medida que el progreso desarrolla las potencias productivas del trabajo y hace, por lo tanto, que se saquen más productos de menos trabajo, el sistema capitalista desarrolla también los medios de sacar más trabajo del asalariado, bien prolongando su jornada o haciendo más intenso su trabajo o aumentando en apariencia el número de los trabajadores empleados, a través del reemplazo de una fuerza superior y más cara con muchas fuerzas inferiores y muy baratas, es decir, el hombre con la mujer, el adulto con el niño, un obrero americano con tres chinos. He ahí diferentes métodos para disminuir la demanda del trabajo y hacer superabundante su oferta: en una palabra, para fabricar supernumerarios.

El exceso de trabajo impuesto a la parte de la clase asalariada que se halla en servicio activo, a los ocupados, engruesa las filas de los desocupados, de la reserva, y la competencia de estos últimos, que buscan naturalmente colocación, contra los primeros ejerce sobre estos una presión que los obliga a soportar con más docilidad los mandatos del capital.

Lo que determina el tipo general de los salarios

Lo que determina exclusivamente las variaciones en el tipo general de los salarios es la proporción diferente, según la cual la clase obrera se descompone en ejército activo y ejército de reserva, el aumento o la disminución del sobrante de población relativo correspondiente al flujo y reflujo del período industrial.

En vez de basar la oferta del trabajo en el aumento y la disminución alternativos del capital que funciona, es decir, en las necesidades momentáneas de la clase capitalista, el Evangelio economista burgués hace depender de un movimiento en el número efectivo de la población obrera el movimiento del capital. Según su doctrina, la acumulación produce un alza de salarios que poco a poco hace que se aumente el número de los obreros, hasta el punto de que éstos obstruyen de tal manera el mercado, que el capital no basta ya para ocuparlos a todos a un tiempo. Entonces baja el salario. Este descenso es mortal para la población obrera, ya que le impide aumentar de tal modo que, a causa del corto número de obreros, el capital torna a ser superabundante, la demanda de trabajo comienza otra vez a ser mayor que la oferta, los salarios vuelven a subir, y así sucesivamente.

Y un movimiento de esta naturaleza sería posible con el sistema de producción capitalista. Mas antes de que el alza de los salarios hubiese provocado el menor aumento efectivo en la cifra absoluta de la población realmente apta para trabajar, se hubiera dejado transcurrir veinte veces el tiempo necesario para comenzar la campaña industrial, empeñar la lucha y conseguir la victoria. La reproducción humana necesita, por rápida que sea, en todo caso el intervalo de una generación para reemplazar a los trabajadores adultos. Ahora bien, el beneficio de los fabricantes depende principalmente de la posibilidad de explotar el momento favorable de una demanda abundante; es preciso que puedan inmediatamente, según el capricho del mercado, activar sus operaciones; es necesario que enseguida hallen en él brazos disponibles; no pueden aguardar a que su demanda en brazos produzca, mediante un alza de los salarios, un movimiento de población que les proporcione los brazos que necesitan. La expansión de la producción en un momento dado no es posible sino con un ejército de reserva a las órdenes del capital, con un sobrante de trabajadores, aparte del aumento natural de la población.

Los economistas confunden las leyes que rigen el tipo general del salario y expresan relaciones entre el capital y la fuerza obrera, consideradas en conjunto, con las leyes que en particular distribuyen la población entre los diversos ramos de industria.

Hay circunstancias especiales que favorecen la acumulación en este o en aquel ramo. En cuanto exceden los beneficios del tipo medio en uno de ellos, acuden a él nuevos capitales, la demanda de trabajo se deja sentir, se hace más necesaria y eleva los salarios. El alza trae una gran parte de la clase asalariada al ramo de industria privilegiado, hasta que, por el hecho de esta afluencia continua, el salario vuelve a descender a su nivel ordinario o más bajo todavía. Desde este momento, no solo cesa la invasión de aquel ramo por los obreros, sino que da lugar a su emigración hacia otros ramos de industria. La acumulación del capital produce un alza en los salarios; esta alza, un aumento de obreros; este aumento, una baja en los salarios, y por último, una disminución de obreros. Pero los economistas no tienen razón al proclamar como ley general del salario lo que no es más que una oscilación local del mercado del trabajo, producida por el movimiento de distribución de los trabajadores entre los diversos ramos de producción.

La ley de la oferta y la demanda es un engaño

Una vez convertido en eje sobre el cual gira la ley de la oferta y la demanda de trabajo, el sobrante relativo de población no le permite funcionar sino dentro de unos límites que no se opongan al espíritu de dominación y de explotación del capital.

Recordamos a este propósito una teoría que ya hemos mencionado en el capítulo XV. Cuando una máquina deja sin ocupación a obreros hasta entonces ocupados, los utopistas de la economía política pretenden demostrar que esta operación deja disponible al mismo tiempo un capital destinado a emplearlos de nuevo en algún otro ramo de industria. Ya hemos demostrado que no sucede nada de eso; ninguna parte del antiguo capital queda disponible para los obreros despedidos; al contrario, son ellos los que quedan a disposición de nuevos capitales, si los hay. Y ahora puede apreciarse cuán poco fundamento tiene la supuesta "teoría de compensación".

Los obreros destituidos por la máquina y que quedan disponibles se hallan a disposición de todo nuevo capital a punto de entrar en juego. Que este capital los ocupe a ellos o a otros, el efecto que produce sobre las demanda general de trabajo será siempre nulo si este capital puede retirar del mercado tantos brazos como a él han arrojado las máquinas. Si retira menos, el número de los desocupados aumentará al fin y al cabo; por último, si retira más, la demanda general de trabajo se aumentará solo con la diferencia entre los brazos que atraiga y los que la máquina haya rechazado. El aumento que habría tenido la demanda general de brazos por efecto de nuevos capitales en vías de colocación se encuentra en todo caso anulado hasta la ocupación de los brazos arrojados por las máquinas al mercado.

Ese es el efecto general de todos los métodos que contribuyen a formar trabajadores supernumerarios. Merced a ellos, la oferta y la demanda de trabajo dejan de ser movimientos procedentes de dos polos opuestos, el del capital y el de la fuerza obrera. El capital influye simultáneamente en ambos polos. Su acumulación aumenta la demanda de brazos y aumenta también su oferta al fabricar supernumerarios. En estas condiciones, la ley de la oferta y de la demanda de trabajo completa el despotismo capitalista.

De este modo, cuando los trabajadores comienzan a notar que su función de instrumentos que hacen valer el capital es cada vez más insegura a medida que su trabajo y la riqueza de sus dueños aumentan; tan luego como echan de ver que la violencia mortífera de la competencia que entre ellos se hacen depende enteramente de la presión ejercida por los supernumerarios; tan luego como, a fin de aminorar el efecto funesto de esta ley "natural" de la acumulación capitalista, se unen para organizar la inteligencia y la acción común entre los ocupados y los desocupados, se ve inmediatamente al capital y a su defensor titular, el economista burgués, clamar contra semejante sacrilegio y contra tal violación de la ley "eterna" de la oferta y de la demanda.

IV. Formas diversas del exceso relativo de población

Aunque el sobrante relativo de población presenta matices que varían hasta lo infinito, se distinguen en él, no obstante, algunas grandes categorías, algunas diferencias de forma muy marcadas: la forma flotante, la forma oculta y la forma permanente.

Los centros de la industria moderna, talleres mecánicos, manufacturas, fundiciones, minas, etc., no cesan de atraer y de rechazar alternativamente a los trabajadores; mas, en general, concluyen por atraer más que rechazar, de suerte que el número de obreros explotadas aumenta en ellos, aunque disminuye proporcionalmente en la escala de producción. El sobrante de población existe allí en estado flotante.

Las fábricas, la mayor parte de las grandes manufacturas, únicamente emplean a los obreros varones hasta la edad de su madurez. Pasado este término, conservan únicamente una escasa minoría y despiden casi siempre a los restantes. A medida que se extiende la grande industria, aumenta este elemento del sobrante de población; el capital necesita una proporción mayor de mujeres, de niños y de jóvenes, que de hombres adultos. Por otra parte, es tal la explotación de la fuerza obrera por el capital, que el trabajador se encuentra aniquilado a la mitad de su carrera. Al llegar a la edad madura debe dejar su puesto a una fuerza más joven y descender un peldaño de la escala social, y dichoso él si no se ve relegado definitivamente entre los supernumerarios. Además, el término medio más corto de la vida se halla entre los obreros de la grande industria. Dadas estas condiciones, las filas de esta fracción del proletariado solo pueden engrosar cambiando frecuentemente de elementos individuales. Es necesario, pues, que las generaciones se renueven frecuentemente, cuya necesidad social queda satisfecha por medio de matrimonios precoces y gracias a la prima que la explotación de los niños asegura a su producción.

En cuanto la producción capitalista se apodera de la agricultura e introduce en ella el empleo de las máquinas, la demanda de trabajo disminuye efectivamente a medida que el capital se acumula en ese ramo; una parte de la población agrícola se halla siempre a punto de transformarse en población urbana y manufacturera. Para que la población de los campos se dirija, como lo hace, a las ciudades, es necesario que en los campos mismos haya un sobrante de población oculto, cuya extensión no se advierte sino en el momento en que la emigración de los campos a las ciudades tiene lugar en grande escala. Por lo tanto, el obrero agrícola se halla reducido al mínimo de salario y tiene ya un pie en el fango del pauperismo.

A pesar de este sobrante relativo de población, los campos quedan al mismo tiempo insuficientemente poblados. Esto se observa, no solo de una manera local, en los puntos donde se opera un rápido tránsito de hombres hacia las ciudades, minas, ferrocarriles, etc.; sino generalmente en la primavera, en verano y en otoño, épocas en que la agricultura tiene necesidad de un suplemento de brazos. Aunque hay demasiados obreros para las necesidades ordinarias, hay escasez de ellos para las necesidades excepcionales y temporales de la agricultura.

La tercera categoría del sobrante relativo de población, la permanente, pertenece al ejército industrial activo, pero al mismo tiempo, la extremada irregularidad de sus ocupaciones hace de él un depósito inagotable de fuerzas disponibles. Acostumbrado a la miseria crónica, a condiciones de existencia completamente inseguras y vergonzosamente inferiores al nivel ordinario de la clase obrera, se convierte en extensa base de ramos especiales de explotación en los cuales el tiempo de trabajo llega a su máximo y el tiempo del salario a su mínimo. El llamado "trabajo a domicilio" nos ofrece un ejemplo espantoso de esta categoría. Esta capa social, que sin cesar se recluta entre los supernumerarios de la grande industria y de la agricultura, se reproduce en escala creciente. Si las defunciones son en ella numerosas, el número de los nacimientos es, en cambio, muy elevado.

Semejante fenómeno recuerda la producción extraordinaria de ciertas especies de animales débiles y constantemente perseguidas. "La pobreza —dice Adam Smith— parece favorable a la generación".

Finalmente, el último residuo del sobrante relativo de población habita el infierno del pauperismo. Sin contar los vagabundos, los criminales, las prostitutas, los mendigos y todo ese mundo que llaman "clases peligrosas", esta capa social se compone de tres categorías.

Comprende la primera los obreros aptos para trabajar; su masa, que aumenta con cada crisis, disminuye cuando los negocios recobran su actividad. La segunda comprende los niños de los pobres socorridos y los huérfanos. Estos son otros tantos candidatos de la reserva industrial, los que en las épocas de mayor prosperidad entran en masa en el servicio activo. La tercera categoría comprende los más miserables: en primer lugar, los obreros y obreras a quienes el desarrollo social ha, por decirlo así, desmonetizado al suprimir la obra de detalle que, por la división del trabajo, era su único recurso; después los que, por desgracia, han pasado de la edad productiva del asalariado, y por último, las víctimas directas de la industria, enfermos, mutilados, viudas, etc., cuyo número se eleva con el de las máquinas peligrosas, las minas, las manufacturas químicas, etc.

El pauperismo es la consecuencia fatal del sistema capitalista

El cuartel de inválidos del ejército del trabajo es el pauperismo. Su producción está comprendida en la del sobrante relativo de población, su necesidad en la necesidad de éste, y forma con él una condición de existencia de la riqueza capitalista.

Las mismas causas que desarrollan con la potencia productiva del trabajo la acumulación del capital, y que crean la facilidad de disponer de la fuerza obrera, hacen que aumente la reserva industrial con los resortes materiales de la riqueza. Pero cuanto más aumenta la reserva, en comparación con ejército del trabajo, más aumenta también el pauperismo oficial. He ahí la ley general, absoluta, de la acumulación capitalista. La acción de esta ley, como la de cualquier otra, está naturalmente sujeta a las modificaciones de circunstancias particulares.

El análisis que hemos hecho de la plusvalía relativa nos ha conducido a la siguiente conclusión en el sistema capitalista, en que los medios de producción no están al servicio del trabajador, sino el trabajador al servicio de los medios de producción, todos los métodos para multiplicar los recursos y la potencia del trabajo colectivo se practican a expensas del trabajador individual; todos los medios de desarrollar la producción se transforman en medios de dominar y explotar al productor; hacen de él un hombre truncado, parcelario, o el accesorio de una máquina; como otros tantos poderes enemigos, le oponen las potencias científicas de la producción; sustituyen el trabajo atractivo por el trabajo forzado, hacen más penosas cada vez las condiciones en que se efectúa el trabajo, y someten al obrero durante su servicio a un despotismo tan mezquino como ilimitado; transforman su vida entera en tiempo de trabajo y encierran a su mujer y a sus hijos en los presidios capitalistas.

Mas todos los métodos que ayudan a la producción de la plusvalía favorecen igualmente la acumulación, y toda extensión de esta necesita a su vez de los trabajadores. De lo cual esulta que, sea el que fuere el tipo de los salarios, alto o bajo, la condición del trabajador debe empeorar a medida que el capital se acumula; de modo tal que acumulación y riqueza significan, simultaneamente, acumulación igual de pobreza, de sufrimiento, de ignorancia, de embrutecimiento, de degradación física y moral, de esclavitud; todo esto del lado de la clase que produce el capital mismo.

Impreso en los talleres gráficos de
La Cuadricula S.R.L.
4302-2014
Buenos Aires, octubre de 2005.